陳系美——譯

不迎合世界、率直說真話的北野武，他看問題的角度獨特，總令人拍案叫絕。他用刻薄表現真情，語言粗率中有關懷，是毒辣的直言針砭，也是最真實無偽的人生自白和硬漢面具底下最大的溫柔。

第三章　人際的問題

緣起

這間料理店在赤坂不起眼的巷底。朝低調的招牌走去，下了樓梯是一扇沉甸甸的木門，站在門外能感受到裡面的些微動靜。大膽推開門，迎來的是愉悅的一聲「歡迎光臨」與客人歡樂的聊天聲，還有令人垂涎的香氣。這是人稱「阿熊」的輿水治比古開的店。店裡著名的當然是阿熊以精湛廚藝烹調而成的料理，但還有另一項隱藏名產，就是他款待客人的溫馨談話。具體來說，就是老闆與客人無所不談的閒聊。依當天心情和肚子的狀況不同，話題也多有所變。

其中不知為何，阿熊和北野武莫名地契合，因此聊天的內容也妙不可喻。有令人捧腹大笑的愉快話題，也有令人不禁拍膝大呼「沒錯！」的深刻談論。

有人說：「這就像北野武這個天才每天的思考，在阿熊這位稀世廚師的烹調下，成為端上桌的絕佳料理。」北野武很難捉摸，沒人知道他何時會來店裡。不過，這個傳聞在極其幸運遇到他的客人間傳開，成為這間店的隱藏名產。而這本書就是藉由北野武的筆，將這個名產集結成冊的結晶。請慢慢品嚐。

（幻冬舍編輯部）

第一章 生死的問題

人死後會怎樣？有天堂或地獄嗎？
我煩憂的不是這種形而上的問題，而是害怕自己沒有活著的快感，沒有活過的記憶，就從這個世界上消失。

世人不知道的北野武

享用美食的客人和烹調美食的我們，中間只隔著一個吧台，但這也是天堂與地獄間的距離。

「今天的鮑魚很棒喔，您可別吃到下巴掉下來。」

嘴上這麼說，但其實心中還是會忐忑，擔心這位客人是否真的覺得好吃，是否心滿意足。真是擔心得要命。而我選用吧台做菜、出菜這種模式，也是為了切實去感受客人的反應。

然而北野武這個人或許是出於職業，總是能非常敏銳地體察我的心情。雖然我們沒特別談過這方面的事，但從他的話裡，我總能感受到他的用心。簡言之，他是個心思細膩、十分體貼的人。而那份用心讓我得到許多慰藉，也激勵了我。

北野武最令我感動的，永遠是他身為人的魅力。

雖然電視上看到的北野武也很精彩，但不是我在自誇，我最喜歡在店裡泰然自若地說著話的北野武，非常通情達理，充滿體恤，有時還會令人感動到熱淚盈眶。我覺得世人不太知道北野武的這一面。

他幾年前開始常來我的店裡。因為我也喜歡聊天，我們真的聊了很多事情，有些隔著料理店吧台不會談的事，也常成為我們的話題。有時也會談到生是什麼，死是什麼。

坐在吧台旁的客人也常被北野武的談話吸引，不禁聽得入迷。這也使我萌生不必要的擔心：「比起我做的料理，北野武說的話才是今天的佳餚吧？」

（阿熊）

學生時代的我，怕死怕得要命

曾經有一段時期，我怕死怕得要命。

從高中到升大學的那段時間，我每天都在思考關於死亡的事，怕死地活著。

就像膽小鬼在深夜的墓園散步，稍微有點風吹草動或看到影子，就嚇得冷汗直流。莫名的咳嗽，或是身體哪裡長了小硬塊，我常為這些小事憂心忡忡，鑽牛角尖地懷疑自己是不是得了癌症。

要是就這樣死了怎麼辦？

老是在想這種事。

中學時，棒球社的隊友被大卡車碾死。那是我第一次經驗到「死」以現實事件的形式出現。

到了大學，發生京濱東北線事故。那是一起死傷近一百五十人的慘烈事故，不幸罹難的乘客裡有我認識的人。

現實裡的死帶給我很大的衝擊。

但不是難過。

聽到朋友死了，我心裡浮現的只有「啊，那傢伙死了啊」這樣的感想。即使人死了，世界也不會有任何變化。只是少了那個傢伙，今天和昨天同樣就在眼前。

無論是棒球社的朋友，或是那個朋友，昨天都還活蹦亂跳地活著，今天卻不見蹤影。簡直就像用板擦拭去，消失得無影無蹤。只是這樣而已。

這種輕易，讓我感受很深。

我於是明白人死了就只是沒了而已，既沒有天堂也沒有地獄。而且死掉的人將輕易地從生者的記憶裡消失。

畢竟朋友死了，難過是一定的，但我心裡浮現的竟然只是「啊，死了啊」這種單純到不行的感想。

再怎麼難過，就算哭個三天三夜，第四天眼淚也會乾。不管再怎麼思念死去的人，活著的人都只能在與死者無關的世界繼續過活。這個天殺的事實帶給我很大的衝擊。

啊，死了，所以就結束了嗎？

因此我怕死怕得要命。可是要怎麼做，才能唯獨讓自己不死呢？我另一個朋友原本也要搭發生事故的那班京濱東北線電車，因為有事遲到而逃過一劫。

沒有人能控制生死，只能看運氣。但運氣這種事，也無法預知自己什麼時候會死。一想到這裡，我就渾身起雞皮疙瘩。

要是我現在死去，一定不會留下什麼。北野武這個人曾經活過的事實，就像落在地面的一顆雨滴，徹底消失在後來降下的傾盆大雨中，立刻被人遺忘。

我不怕被人遺忘，而是怕自己的人生空洞到轉眼就被忘得一乾二淨，真的很怕。

我什麼都還沒做，也沒做過自己覺得很棒的事。雖然打過棒球，但沒打進甲子園。書念得不怎麼樣，也沒做過奢侈的事。不曾開車兜風，也不曾以此來追求女人。我無法接受自己什麼都沒做，就這樣一無所有地死去。

無論如何都湧現不出自己確實好好活過的感覺。

人死後會怎樣？有天堂或地獄嗎？我煩憂的不是這種形而上的問題，而是害怕自己沒有活著的快感，沒有活過的記憶，就從這個世界上消失。

然而快感指的未必就是快樂，即使是淒慘痛苦的體驗，只要能感受到自己活著，也可以算是一種快感。

因為這個緣故，我當時很嚮往海洋學者。

那是雅克・庫斯托[1]（Jacques-Yves Cousteau）的時代。我很崇拜搭上像「深海6000」這樣的潛水艇，潛入幾百氣壓的昏暗海底，研究海底火山或深海細菌的科學家。我很嚮往那種不問現實利益，單純只為學問而甘冒生命危險的生存方式。若是那樣活著，我便能真切感受自己在這個世上活過。

就這點來說，我當時害怕的或許不是死亡本身，而是無法照自己的意思過活，死板乏味的人生吧。

但我沒有具體的人生願景，例如想做什麼事、想成為怎樣的人，或過怎樣的生活。反倒沒有目標願景才可怕，生怕自己不知道要做什麼，就被川流吞噬似的虛度一生而後死去，這樣好嗎？

然而，人生是很諷刺的。

為了克服對死亡的恐懼，我選擇的道路竟是一種自殺。

以前我談過很多關於我母親的事，實在很難用一句話來形容她，總之就是非常勤奮，現實到不能再現實的現實主義者。什麼藝術啦哲學啦文學啦，她完全不承認這類東西有價值。對她而言，那只是浪費人生。

如今想想也是一種智慧，這種思想甚至可堪稱哲學。但我打從懂事以來就在這樣的家庭中長大，所以那時無法將母親的這種想法當成一種思想，客觀地看待。

我父親是典型的下町職人[2]，他過世是我當藝人之後的事，所以我和他相處的時間不算短。可是我想不起小時候跟他說過什麼話，只記得很小的時候，他曾帶我去過一次江之島。

---

1 海洋及海洋生物研究者，水肺的發明人。一九五六年與路易・馬盧（Louis Malle）合作拍製紀錄片《寂靜的世界》（*The Silent World*），獲坎城影展金棕櫚獎。

2 下町指城市裡靠海邊或河川的地區，又稱老街或舊街區，北野武的老家足立區亦屬下町。這些地區當時屬於東京的底層，江戶時期就有許多工匠職人在此營生。

父親是油漆工，每天規律得像蓋章似的來往工地、酒館和住家，明明個性怯懦卻又愛喝酒，幾乎每天都喝得醉醺醺地回家，落得向我媽舉手投降的下場。雖然天天認真工作，但賺的錢幾乎都拿去喝酒喝光了。

因為我爸是這副德行，所以家中生活以我媽為中心運轉。無論在生活上、家計或小孩升學，大大小小的事都由我媽做決定。

她白天在建築工地打零工，晚上做家庭代工到深夜。在那個時代、那樣的生活裡，她供三個兒子上了大學，也讓女兒念了高中，活生生是美輪明宏〈苦力女之歌〉[3]裡的人。

按我媽的想法，我未來的出路就是念完理工大學，然後去大公司上班，除此之外別無可能。在我家，她的決定絕不可違抗。所以我進明治大學理工學院時，也只想普普通通地大學畢業，去當個正經的上班族。

換言之，我被我媽的想法束縛了。

儘管如此，就像活在鳥籠中的鳥不覺得自己不自由，我也從沒想過自己被束縛。母親更是絲毫不認為束縛了我吧，她深信這麼做是為我好。

更何況，我很清楚母親為了供我上大學吃了多少苦、如何設法到處籌錢，也知道哥哥為了幫助我，犧牲了自己深造的機會，因此除了母親的想法，我沒想過還有其他選項。

不過如今想想，這或許就是我那麼怕死的原因。

正因被五花大綁，對自己的人生沒有選擇的餘地，才無法領略活著的真切感受吧。

我大腦的運作方式非常「理組」。

即使是現在，解數學題目也會樂在其中，聽到尤拉定理或非歐幾里得幾何學就莫名雀躍，有時還會幻想要是當初當了數學家，會過怎樣的人生？

3 美輪明宏為了悼念小時候照顧他朋友的母親過世而創作的歌曲，歌詞中描述從事建築重勞動工作的母親含辛茹苦養大小孩。

即使做了以前從沒想過的電影導演工作，有時我還是覺得自己是理組人。譬如寫劇本時，我會忽然發現自己無意識地像在做因數分解。所以讀理工學院是沒錯的。

只是畢業後，對於奔向眼前已經鋪好軌道的未來，我感受不到魅力。

我大四那年是一九七〇年。大學時代適逢六、七〇年代的安保抗爭，學生運動風起雲湧。那時學校被封鎖，幾乎都在停課，是個只要提交畢業論文就能畢業的時代。

那時經濟高度成長，隨處可見音樂或戲劇等文化性節目，我也幾乎沒去大學，常窩在新宿一帶的爵士咖啡館。

爵士咖啡館裡聊的話題是當時風行的存在主義，沙特（Jean-Paul Sartre）和西蒙・波娃（Simone de Beauvoir），還有柯林・威爾遜（Colin Wilson）也很受歡迎。我記得我包包裡放的是《次郎物語》[4]，難為情到不敢拿出來。

對理工學院機械系的學生而言，那是個莫名其妙的世界，但也因為莫名其妙，反而引人嚮往。更重要的是，只要開口閉口是哲學或文學，聊到學生運動的話題就能受女生歡迎。偏偏我能暢所欲言的話題只有本田的引擎怎樣又怎樣，女生對這種事可沒興趣，所以我完全不受女生歡迎。說來丟臉，我對自己的將來沒有自信，這或許也是個原因。

再加上進了大學以後，社會結構也開始出現變化，今後想出人頭地、過上好日子，大概要去政府機構當官僚菁英，當上班族的薪水很低。

可是想當官僚菁英，必須通過國家公務員高等考試。我就算大學畢業，進了哪家公司當工程師，頂多也只是個副手，沒什麼前途可言。

爵士咖啡館裡也聚集了很多當時的人氣劇團「狀況劇場」或「天井棧敷」的演員。這些人熱情澎湃，喝了酒就開始針對戲劇理論進行論戰，一言不合還會打起來。

4 青少年教養小說，作者為下村湖人。

文化圈的工作通常賺不了幾個錢，他們卻如此拚命地投入表演藝術，這看在我眼裡相當新鮮。

當時只知道下町的我，看過的大人都是守著戰後的價值觀，庸庸碌碌只為了掙一口飯吃。而在那裡，我看到了擺脫這種狀況再上層樓的另一個世界，有種令人目眩神迷的文化感。於是「理工大學畢業後去大公司上班就是人生的成功之道」這套母親從戰後就一直灌輸我的價值觀，在我混爵士咖啡館之後，忽然覺得很落伍。

話雖如此，我也沒做什麼，只是去爵士咖啡館鬼混，打有點危險的工，玩賭博麻將，賺了錢就拿去喝酒罷了。

所以那個時期，我覺得自己一直在向下沉淪。

一直向下沉淪，所以也很怕死。

雖然很憧憬文學啦戲劇啦，可是我不認為自己做得來。一直在思考自己到底是誰？該做些什麼？會不會找不到答案就這樣死掉？當時腦袋裡淨是這些。

那天一如往常地去歌舞伎町的爵士咖啡館也是——

現在新宿的ALTA百貨，以前是一家叫「二幸」的食材店，就像現在的生鮮超市。那天我從新宿車站東口要穿過二幸前的斑馬線時，一定也一如往常弓著背，看著地面走路。

只是那天，我的思緒很反常。

忽然想到很荒唐的事。

「對了，別念大學了！」

這個念頭不知打哪裡來，猶如萬里晴空中猛然的一道閃電，閃現在我腦海裡。那心情就像跳樓自殺。

整個人變得輕飄飄的，像是被蛇發現的青蛙，深深為甜美的「自殺」念頭而著迷。

母親含辛茹苦供我上大學，好不容易到了大四，我居然說不念了，她會多麼痛心，這我都懂。

這等同拋棄了養育我的母親。或許對母親來說，我就算死了她也不會這麼震驚。對我而言，若不當作自己死了，我也難以接受。這不是什麼文字遊戲，真的是形同自殺，和真正的自殺一樣。而這也是那時，我唯一明確的答案。

就這樣，我決定休學。

那時走在斑馬線上抬頭看到的新宿天空，是我此生從未見過的萬里晴空。我覺得之前罩在頭頂上灰濛濛的雲被吹散了，一切都變得清晰遼闊。

至少在這個瞬間，我對死亡的恐懼消失得無影無蹤。

據說狼或狐狸的母親為了讓長大的孩子另立巢穴，會像攻擊入侵地盤的敵人那樣將孩子趕出去，甚至會咬比自己生命更寶貴地養大的孩子。

不知道母狼或母狐這麼做，是否出於對孩子的愛。以人類的感情來說，我希望那是為了讓孩子獨立自主才狠下心做的事。然而真相通常出乎意料，說不定狼或狐狸的腦中早已內建一套程式，等到了某個時間點，當母親的就會本能地按下按鈕，將孩子視為敵人。

若依理查・道金斯[5]（Clinton Richard Dawkins）「一切生物都是遺傳基因的載體」的理論來說，比起依靠愛這種不確定的感情，先建置這種機制更能確保成功育兒。因為留下基因的成功率比較高。

但對子狼和子狐而言，無論真相為何都沒有太大差別。因為到昨天為止，在這個敵人環伺的自然界裡唯一能守護自己的母親，今天卻成了最大的敵人襲擊而來。牠們一定感受到了遭世界拒絕的恐慌，只好學習靠自己活下去。

5 英國演化生物學家，代表作為《自私的基因》（*The Selfish Gene*）。

然而很遺憾的，人類的育兒脫離了這種模式。儘管以前有成年男子的戴冠式，現在也有成年禮，但任誰都知道這種儀式根本派不上用場，無法讓一個人真正離巢獨立。

回想那個時期的自己，若非怕死怕得要命，也不會驟下那種決斷。說不定會永遠無法離巢獨立，一直走在母親為我鋪好的軌道上。我想襲擊青春期孩子的死亡恐懼，或許就是使其獨立的「本能按鈕」吧。至少我的情況是如此。

若照著母親的意思，走上她為我規劃的人生，不知道會不會淪於不幸。但我能唯一能確定的是，這世上就不會有北野武這個藝人了。而這又是另一回事。

物體動得越厲害，摩擦也隨之增加

我想去淺草是因為嚮往戲劇。雖然嚮往戲劇，但戲劇本身與我無緣。不過搞笑的話，我覺得自己從小就很在行。總之我想得很膚淺。

再加上，我覺得既然要做等同於自殺的事，淺草的劇場是很適合的地方。離開母親的庇護，就算是暴死街頭也要當淺草藝人比較酷。藝人若暴死街頭，淺草是最酷的地方。

關於後來的事，以後有機會再寫。就結果而言，我運氣很好，沒有暴死街頭，藝人也還當得不錯，不但賺到年輕時難以想像的錢，在社會上也頗有名氣。當了電影導演後，算算至今也拍了十三部電影[6]。還有說來很難為

6 計算截至本書於日本出版的二〇〇七年。二〇一七年的現在，北野武執導的電影共計十八部。

情，我去美國和歐洲，他們還稱我為「藝術大師」。

所以學生時代感受到的恐懼，那種討厭沒有嚐到活著的快感就死掉的恐懼，我究竟克服了嗎？之所以用疑問句，表示我現在還不確定。

我想說的不是無論做了多棒的事也感受不到活著的快感，恰好相反。關於這件事，我想不管怎麼選都一樣吧。也就是說，別當什麼藝人了，尋常地過日子、結婚、生子，淡淡地活著，淡淡地死去，或許還比較輕鬆吧。

為什麼呢？我現在的人生真的很痛苦。當藝人，當電影導演，當彼得武，還要當北野武，我現在的人生真是疲憊不堪。

物體動得越厲害，摩擦也隨之增加。人也一樣，動得越厲害就越熱。站在一旁看一個人閃閃發亮，一定很羨慕對方吧。

但閃閃發亮的當事者卻熱得受不了。

星星也是，站在幾千光年遠的地球看，美麗閃耀。

「好好喔，好想像那顆星星一樣閃耀。」

人們或許會這麼說，但星星可受不了。因為它燃燒著幾千億度的高溫，而且在燃盡之前，必須一直這樣閃耀著。

這真的是相當痛苦的事。

我不是在耍酷。這是我一路走來的實際感受。

我不是要吐苦水，只是在想不做這種事，就無法得到人生的快感嗎？克勤克儉地認真工作，守護家庭，養育小孩，光是這樣就能充分獲得人生的滿足感。這種滿足感跟成名啦拍好電影啦，相差不了多少。這是我到了這把年紀才明白的事。

話雖如此，你若問我：「那你要選擇哪種人生呢？」我不須苦思就能回答，我選擇發光發熱的人生。

倘若人生能夠重來，我還是會選擇以幾億度高溫燃燒的生存方式吧。

那場車禍後，我對「活著」就沒興趣了

我的臉部和頭部埋了很多鈦金屬。

看頭部的X光片和斷層掃描影像，就知道裡面到處散落著鈦金屬的碎片黑影。前陣子，醫生看了還笑說：「簡直像芝麻煎餅啊。」接著又問我：「要不要取出來？」我說放著吧。

一則鈦金屬對身體無害，再則我實在不想再動手術。

那起被體育報紙寫成「北野武，無法東山再起？」的機車車禍之後，已經過了十二年的歲月。

說後遺症有點誇張，就是有塑膠或石油製品的臭味像刺進鼻腔深處似的，強烈地向我襲來。我以為得了花粉症，頭痛欲裂還想吐，實在受不了去醫院一看，醫生竟說出「你的嗅覺神經可能連到腦的其他地方了」這種令人膽顫心驚的話。因為吃過藥就好了，我也沒再理它，腦袋裡的線路就那樣依然放著。所以我的嗅覺神經，可能連接到了與一般人不同的地方。

說起那起車禍，也是蠢到不像話。

我去找女人的時候，遭八卦週刊偷拍，一氣之下就買了重型機車，心想「開車會被逮到，騎腳踏車或機車就不會被發現」。那天我也喝得很醉，也許打算去某人家吧。不知為何，我只記得自己騎上機車，後來就完全沒了記憶。

醒來的時候，我吊著點滴，躺在醫院病床上。聽別人說是行駛在對向車道的計程車司機發現了我，幫忙叫了救護車。我出院後，便去向這位司機致謝。

據說我倒在車道的路燈下。一盞孤零零路燈的圓形光圈，猶如聚光燈照著躺在血泊中的我。那是昏暗道路的轉彎處，若不是在這裡倒下，肯定會被後方來車碾死。我的臉傷得面目全非，直到被送進醫院，護士查我的駕照之前，沒人知道我是北野武。我之所以得救，靠的是微乎其微的運氣。

那時我傷得很重，連醫生都覺得沒救了。聽到消息趕來的北野武軍團也認為我死定了，哭得很傷心。

院方為了救我，組成一個醫療小組，火速為我動手術。過了一兩天，我恢復了意識。從騎上機車到醒來之間的記憶，簡直像剪接似的完全被剪掉。醫生說：「這段記憶的深溝可能無法填補了。可是你的運氣很好，要是再嚴重點，搞不好連孩提時代的記憶也沒了。」

我的臉傷得面目全非，嚴重破損。為了修復塌陷的顏面骨頭，就像科學怪人脖子上的釘子，從我的左臉往右臉穿了一根鈦合金棒子。藝人的工作經常要在人前露面，如今變成這幅模樣，想自殺也不足為奇。但不知為何，我絲毫不沮喪，情緒反而比車禍前來得高昂。

下巴也以金屬固定，所以只能打點滴、吃流質食物。可是我實在餓得受不了，覺得真是豈有此理，便打電話到壽司店叫外送。壽司店老闆娘出言制止：「可是你嘴巴又張不開。」我臭罵她，硬要她送來，結果張嘴想吃壽司時，痛得差點斷氣。半夜溜出去散步也經常挨罵。

拆除從左臉貫穿右臉的器具時，我知道那根金屬從鼻子下方「滋滋滋」地被抽出來，傳出嘎吱聲響。我覺得那聲音像是黏到了腦漿，於是脫口說了一句：「我明白關東煮的心情了。」醫生勃然大怒，叫我別說蠢話。

並非醫生罵我，所以我幫他講話。拔掉那根金屬後，他只用ＯＫ繃貼一貼就結束了，沒有留下任何痕跡，原本面目全非的臉也幾乎不留傷痕。雖然也是拜醫療發達之賜，但院方為我組的醫療小組醫生，真的是醫術超群。

我很能忍痛，不管多痛也不以為痛。因此住院期間不曾覺得痛苦。可是當身體感到劇痛時，我的呼吸會「呼！呼！呼！」地變得急促起來。孕婦為了減輕分娩的疼痛而學習拉梅茲呼吸法，我不用學，身體就自然這樣呼吸了。「呼！呼！呼！」這種急促的呼吸是身體對抗劇痛的直接反應，以此來減輕疼痛。每當劇痛襲來，我「呼！呼！呼！」地呼吸時，總莫名覺得感動：「人真是厲害。無論在任何狀態下都會設法活下去。」

恢復到能在電視攝影機前露面，是住院後的第五十六天。看過那場記者會的人說不定還有印象。其實那時我的臉左右極不平衡，左半邊臉幾乎動不了，連眼球都不會動，所以左右焦距對不起來，看東西的影像都是重疊的，頭痛欲裂。

這種情況下還開記者會，主要是想儘快為這次的騷動向社會大眾道歉，此外也想早點將這張歪臉暴露在世人面前。

怎麼樣？你們就看個過癮吧，我變成這副模樣了。

我絲毫沒有挑釁之意，只是想在遭偷拍之前，堂堂正正地出來讓大家看。

不過因為這樣，我從死地生還了。能夠活下來，怎麼想都只是運氣好。當我察覺到這一點，對「活著」這件事就不太執著了。

話雖如此，我也不是想死，或覺得活著很麻煩。我只是看開了，覺得剩下的人生是賺到的，不想再胡攪瞎搞。

我誠摯地感謝能倖存下來，想好好珍惜這條別人救回來的命。從那以後，我不開車也不騎車了。抽了那麼久的菸，也因為會氣喘而戒了。接下來要不要順便把酒也戒了？可是若連酒也戒掉，我就不知道活著有什麼意思，所以沒有完全戒掉。有一首歌說「有個笨蛋戒菸、戒酒也戒女人，活到一百歲」，我可不想過這種人生。

雖然沒有完全戒掉，但喝的量減少很多。畢竟是難能可貴的生命，為了拍下一部電影，我也要盡己所能地努力。

不過，我更不想巴著「活著」不放。那起車禍讓我明白，命運並非操之在己。無論有什麼命運在前方等著我，都只能如實接受。

因此，若一星期後會死，我也只會想「哦，這樣啊」，然後一如往常地生活，一到晚上就去喝酒。不會因為反正明天就要死了，於是死命地猛灌狂飲，只是像平常那樣喝。睡覺時間到了就睡覺，該死的時候就死。

我不是想說「我隨時都有死的心理準備」這種耍酷的話。只是淡淡地覺得什麼時候死都無所謂。就這層意義來說，我只是對活著不感興趣而已。

人只要過了六十，身邊就會有很多死前必須處理的事，也累積了許多例行公事。該還的人情想還，該報恩的想報。或許你會說，這種人情義理現在馬上還一還不就結了，可是有些事，自己死後再履行比較合乎禮節。

所以可以的話，一旦敲定會死，請在三天前告訴我。只要三天，我就能處理一切，不給任何人添麻煩地死去。老實說，為了不到時候手忙腳亂，我已經將一切準備妥當。

二〇〇六年的夏天，醫生威脅我要再檢查一次。我突然持續大量出血，身體狀況變得很差。雖然事後想想是天大的誤解，不過我當時覺得自己的電影工作似乎已經到了一個段落。

「我是不是快死了？」想著這種不吉利的事。

這十二年，是不是病房裡的一場夢？

即使對活著失去興趣，精神上的恐懼也難以消失。

車禍都過了十二年，我唯獨對於這一點無可奈何。現在忽然想起，也會覺得毛骨悚然。

這種恐懼，會在夜裡入睡時襲上心頭。

隔天早上，睜開眼睛時都會想：萬一這裡還是那個病房，該怎麼辦？從重傷中奇蹟似的康復，八成只是一場夢。醒來可能會忽然發現，十二年來我依然在醫院裡吊點滴，以植物人的狀態活著。這只是我在病房裡作的夢吧。

至今外宿早上醒來，看到完全陌生的房間，心頭也會一陣驚懼。以剛睡醒的迷糊腦袋想著：「這不是我的房間。究竟是哪裡？」隨著恐懼浮上心頭，一定會認為：「這裡是病房吧？」

不過，那個病房沒有掛月曆，也沒有那麼時髦的百葉窗。就這樣想著想著，意識終於清晰起來，想起昨晚的事，才由衷地鬆了一口氣。

這種恐懼感至今仍未消除。當我醉得意識朦朧，就會遭這種妄想襲擊。

我覺得這跟那晚騎機車後的記憶喪失有關。就像劇情銜接得很差的電影，沒有任何脈絡可言，睜開眼睛就被綁在床上的這種經歷，成為一種心理創傷。我不想說心靈受傷這種討拍的話，但這種心理創傷也許到死都好不了吧。

對於車禍的具體狀況，我沒有任何記憶，但常像電影手法的閃回（flash-back），以怪異搖晃的影像浮現在我腦海。

比方坐在車上，我會突然冒出一句：「危險，左邊有來車。」只見司機一臉不可思議地回答：「哪有，根本沒有車喔。」「哦，沒車啊。可是你剛才沒看到什麼嗎？」

司機是專業駕駛，只要交給他就好，可我偏偏無法安心坐著。而且奇妙的是，我注意的不是前方，而是旁邊。總是看著旁邊，向司機說「喂，旁邊有人在走路喔」或「有腳踏車來了喔」，每次司機都說：「我早就知道了。」

「哦，這樣啊，你早就知道了。」然後我才收斂了點。

我知道司機嫌我囉唆，但就是在意得不得了。

照這種情況來看，我可能還在怕死吧。

但我認為自己害怕的不是死亡本身，而是臨死之前的疼痛與苦楚。即使精神上不怕死，肉體還是會本能地逃避死亡。就像感受到劇痛時，呼吸會自然急促起來，有什麼東西飛過來時，身體會屈身閃躲一樣。當死亡迫在眼前，身體會自己胡亂扭動掙扎。這也是一種恐懼。

三島由紀夫上健身房、練劍道，也打拳擊，做很多運動。不過據說他的動作總是像提線木偶，顯得有些僵硬。我想三島本人也有所察覺吧，也就是他的運動神經很差。

這一定嚴重傷到他對美的意識。他是個認為肉體行動比大腦思考更尊貴的人，運動神經不好想必讓他心生自卑。雖然這只是我的突發奇想，但他的自盡和這件事也有關連吧。當然，政治主張又是另一回事。他的自盡，可能也帶著精神對肉體的復仇之意吧。

身體在任何情況下都想活下去。

所謂的自盡，是精神去逼迫這種強烈的本能屈服。唯有精神能掌控肉體的運動，而其終極之道就是用大腦殺死肉體。三島就是做了這件事吧。讓肉體服從「死」這項終極命令，使肉體屈服了。

而我恰好相反，我覺得自己的腦袋再怎麼接受死亡，肉體還是會反抗，想要死裡逃生。尤其我運動神經算是好的，所以反抗得更厲害。明明個性怯懦，腦袋到了緊要關頭卻一片空白，多麼離譜的事都幹得出來。所以一想到最後臨死之際，我就覺得有點麻煩。

我希望能沒有痛苦，一下子就死掉。可是這辦得到嗎？要是搭飛機碰上劫機，犯人拿槍指著我，我會不假思索地站起來，以反射動作抓住那把槍。光想就覺得恐怖，我可不想這樣手忙腳亂地死去……

若是猝死，就沒空感覺痛苦與恐懼。摸到什麼，覺得燙再抽手也已經燙傷了，因為刺激傳到神經的速度比較慢。

據說皮膚感受到熱度後，藉由神經傳到大腦的速度，頂多是音速的三分之一。若能像光速那麼快，便能在燙傷前抽手吧。

只是無論運動神經再發達的人，速度也有極限。

所以猝死是最好的，在大腦還沒感受到前就死去，應該不會有任何感覺。坐飛機時也會想：「若是這種死法，就沒什麼大不了吧？」會想到這種事，表示我經常意識到死亡。

我拍《雙面北野武》（*Takeshis'*）時也想到，這部電影若照字面唸，可以解讀成「武死」[7]。這部電影若成為遺作一定很帥氣，而這或許也是命運吧。

如此一想，很多偶然就不覺得是偶然了。例如不經意看向電子時鐘，映入眼中的數字總是一樣。十一點十一分、兩點二十二分，或三點三十三分。每次看時鐘，都剛好看到相同的數字。然而稍微計算一下，就知道這樣的數字會持續一分鐘，以機率來說也就不那麼特別。儘管如此，我還是很在意這些事。

如果死期到了，我想我會淡淡地死去吧。但另一方面，我也會想一些僥倖的事。

客觀地看待自己，要是想演出「活著」這件事，最理想的狀態是在拍出好電影的時候死去。偏偏在電影拍完的瞬間，卻陸續看到不滿意的部分。對

---

7 原片名為 *Takeshis'*，「Take」指北野武，「Shis」為日文的死。

自己拍的電影是不會滿意的，若是滿意了就無法繼續當電影導演。

因此，我雖然說對「活著」不感興趣，但一旦死神出現，我可能會這樣跟祂說：

「能不能讓我再拍一部電影？」

人的年紀大了，臉皮也會變厚。

人死後會怎樣？死了就有答案

人類出現在這地球上，不曉得經過了幾百萬年，但不死之人一個也沒有。只要是人都會死。

人生的終點是死亡。競賽通常是早點抵達終點的人獲勝。

那麼，早死的人是否也算獲勝呢？

連釋迦摩尼都說活著是痛苦的事。既然如此，一生下來就死亡或許最幸福。因為不必承受人生之苦。

人生，不是長壽就好。

同一件事物，因為觀看的角度不同，看法和意義也會改變。

我在書裡讀過一個故事：有一對祖孫在山麓養斑鳩的雛鳥，另一對祖孫則在山的另一邊養老鷹的雛鳥。各自的雛鳥長到會飛後，有一天都把它們放上天空飛。結果老鷹吃掉了斑鳩。住在山這一邊的祖孫，因為斑鳩被吃而哭得很傷心；而住在山另一邊的祖孫，則因老鷹第一次抓到獵物而高興。明明是同一個現象，山的這一邊和那一邊卻發生了正好相反的事。

這是個很妙的故事。然而人生的悲喜哀樂本質就是如此。這世上發生的事，原本沒有任何顏色。

是人們為它著上悲喜哀樂之色。

經常聽到小孩遭霸凌，被同學排擠而自殺的事。

其實我覺得在談霸凌之前，被同學排擠而活不下去的小孩已越來越多。也就是說，孩子們覺得身為同一所小學、同一個班級的成員，比生死來得重要。

大人們不會對小孩說，沒有朋友也能活下去。

雖然人們說，重視個人和個性是現代社會的特徵，但現實中卻發生相反的事。實際的情況是個人埋沒於社會中，個人的生命只是組成社會這部巨大機器的一個零件。而且，這個零件的取代性很高。所以人們才會反其道而行，提出「個人主義」吧。只有在極度限制個人自由的戰爭裡，才會格外意識到個人的存在。

戰爭一結束，人就自由了。

可是獲得自由之後，卻對獲得自由的自己產生巨大的不安。「你想做什麼都可以喔！」被這麼一說，就忽然無所適從，所以想找個領導者跟上去，或無論如何都想融入朋友圈裡。

於是探問自己究竟是誰、尋找自我，成了現在年輕人的命題。詐騙占卜師也因此受到歡迎。若沒人對自己說「你是〇〇」，就不知道自己是誰。

年輕人學不會教訓，三番兩次被莫名其妙的宗教或教祖所騙，說什麼「沒有什麼是用錢買不到的」這種低級話的利欲熏心之輩成了英雄，還有孩子們的自殺，這一切的根源都是同樣的問題。

追根究柢，現今社會說這種話的人太多了。「人生究竟是什麼？」「人活著的意義究竟為何？」成了年輕人的強迫觀念。這得怪說這種話的大人，自己都不知道生死的意義了，還如此大放厥詞。

沒有人能證明天堂與地獄是否真實存在，是否真的有神。在這種曖昧不明的狀態下，叫年輕人去尋找生命的意義，任誰都會迷惑。只有一小撮的人能靠自己的力量擺脫這種迷惑。

比起送人類上火星，我認為更該傾全人類之力擬定計畫，研究生死的意義。只要肯把錢花在這裡，請全世界的學者來研究，遲早會找出答案吧。

宗教之所以誕生，也是因為人們不明白這些事。

若死亡不再可怕，就不需要宗教了。人們仰賴宗教的最大原因，說穿了就是對死亡的恐懼。沒有人知道死後世界，於是向宗教尋求解答，天堂與地獄的概念便由此誕生。

或許你會問我：「難道你不相信嗎？」

坦白說我不相信，不過也不是全然否定。我認為只要布施或捐款就能上天堂，這種話全是人為編造的。不是說所有的宗教都是如此，但從古早以前就有人靠這個賺大錢也是事實。

不過，有沒有天堂和地獄、有沒有神，這些問題早在懂事以前就已經進入我心裡。因為在談論信不信基督教或佛教之前，從小就聽旁人在談這種事。思索或議論有沒有神，這件事本身就以有神為前提了。然而除了「神」以外，就沒有別的辭彙了嗎？就是因為沒有這種辭彙，所以才無法把「神」從腦海中拿掉吧。只要這個辭彙存在於腦海裡，即使不能盡信，也總覺得不見得完全沒有。

我對基督教的神不熟。

以前日本人常說的「老天爺在看著喔」比較深得我心。要做什麼是你的自由，不過老天爺一直在看著。就神與人的關係而言，我認為這是最理想的距離感。

話說回來，不管信不信神，死後都會有答案。

死後會怎樣？這誰也不知道。

雖然聽說有人看過死後世界，但那不是死去，充其量只是非常接近死亡。沒有人真的完全死去，在肉體死滅後還回到這個世界來。

換言之，沒有一個人實際體驗過並知道死後會怎麼樣。

不過人終將一死，死亡雖然可怕，但也是有趣的事。至少死了就知道死後會怎樣。

正確地說是「或許」會知道吧。

但也可能死後還是什麼都不知道。有一種看法是，死亡只是還原成各種元素，在知道或不知道之前，存在的本身已經消失。

對凡事要求解答的理組人而言，這種結局最不堪。「不知道答案」或許就是正解，但拜託不要這樣。

然而不堪歸不堪，我認為這個可能性最高。

以理組的思維來看，結果只是回到了「無」，還原成元素而已。若人類的「意識」到頭來也是由物質構成，那麼當元素四散時，存在的本身也就消失了。

據說青森縣的恐山靈媒能從陰間召回靈魂。我不相信這種事。靈魂只是人類想像的產物吧。

基本上我是這麼想的，但也不是完全確信。心裡某個角落總覺得或許不是這樣。

讀了最新的物理學書，裡面提到量子力學的不確定性原理，說「所有的東西都是振動」。這麼說來，人類的思考也是振動，靈魂雖然看不見，但也是一種振動。照這樣想下去的話……

地球真是一顆無比吵鬧的星球，在宇宙空間發射電波。而這些電波也是振動，並非物質。不是物質的東西竟確實存在於這個宇宙。既然如此，人的靈魂在肉體死滅以後，或許也會以振動的形態存在下去吧。

荒唐無稽的話就到此為止。

不過至少，「死」也是在賭這個荒唐無稽的想法是否正確，會不會知道死後的事。

光是這一點，我就覺得挺有趣的。

那些「為時已晚」的事，其實人們早就知道

前面談到了個人之死，然而時代已來到必須思索「人類」這種物種之

死。在某些國家有幾百人因酷暑而死亡，或是發生刷新氣象觀測史的超強颶風，猶如以前廉價災難片橋段般的新聞畫面，現在幾乎成了季節的常見景象。

如今全世界都在為地球暖化惶惶不安，這種現象其實在很久以前就發生了。原本只有氣象學者才知道的微妙變化，經過長時間不斷累積，成了如今人人皆知的詭譎氣候。可是已經來不及了吧。任何事情都是如此，等到發覺不對勁時，已經為時已晚。

有這種感受的應該不只我。為時已晚是一句很嚴重的話，但事已至此，也只能順其自然了。

至少考量現在的世界情勢，要地球上的六十億人手牽手將地球從滅亡的深淵中救出來，很遺憾的，這種未來我完全無法想像。

察覺到滅亡的危機時，比較容易想像的是再怎麼拚都來不及了。

我也是這樣。結果到頭來，人人都懷抱著不安，想辦法撐到自己死掉，以這種苟且的心態活著。倒也不是不想為後代子孫著想，只是不知道該怎麼做。明天起不用電、不坐車，這種事辦得到嗎？更何況，問題是這種程度就可以解決的嗎？雖然有做總比沒做好，但現實中也有什麼都不做比較好的情況吧。

況且未來通常不會照著我們的想像走。我覺得在氣象異常導致地球毀滅之前，或許會有超大隕石意外擊中地球也說不定。

太陽系有幾萬個小行星。人類為大部分的小行星命名，也計算出運行軌道。但天文學家說，如果太陽的背後躲著會和地球相撞的小行星，直到相撞前三天都無法確認它的存在。

所以哪天突然發現未知的小行星，三天後撞上地球也是有可能的。

料理店的阿熊問我：

「這也太恐怖了。到時候你會怎麼做？」

答案我已經寫在這一章了。當時我如此回答：

「就淡然地過完那三天吧。只要有酒喝就不會太難熬。畢竟這是人類史上最壯麗的奇觀。我會爬上屋頂，邊喝酒邊望著天空說：『好，來吧！』」

第二章
教育的問題

不可以怕傷了小孩的心。
受了傷，筋疲力盡，只要懂得放棄就好。
要趁小孩還小的時候，將這種非常現實的事灌輸到骨髓裡。

是老人的牢騷，也是不虛偽的真心話

北野武從我店裡要回家時，經常會預點下一次的餐。例如：

「阿熊，下次我想吃炸肉餅。」

就這樣，算算我為北野武做的特別料理為數不少。我的店沒有菜單，已經習慣應客人要求做菜，但北野武點的菜都有點另類。

炸肉餅是其中一例，我還為他做過餃子、拉麵和味噌煮鯖魚。坦白說，他點的餐都是一般餐館不太做的料理，所以做這些平常不做的料理，對廚師也是一種挑戰。譬如做餃子時，只做普通餃子我也覺得沒趣，因此每次做他點的餐，我都一邊想著他的臉，思索要怎麼做才能讓他驚喜，特別下了一番工夫。

這麼說或許有些奇怪，但每次我在做北野武的餐點時，都會忽然覺得自己好像成了他的母親。譬如今天有棒球比賽，小武回家時一定很餓吧。北野武的母親一定也是以這種心情為他煮飯、做味噌湯的吧。仔細想想，北野武點的餐幾乎都是家常菜，一定是他母親常做給他吃的。

「媽，今天做炸肉餅給我吃。」

北野武以前說不定也曾這樣向母親撒嬌。我也是男人，雖然年紀比北野武小，不過我也胡亂想像，說不定可以代替他母親煮飯給他吃，以這種心情做料理。這真是無上的幸福啊。

上了年紀就會明白，再怎麼高檔的佳餚都比不上母親做的飯糰。所以我做的料理，也不可能贏過北野武的母親。儘管只是代替，我也很高興。

說來遺憾，聽說最近沒吃過母親做的飯糰的小孩越來越多。連遠足便當裡的飯糰也是超商買的。

我和北野武聊天時，這方面的話題總是越來越多。或許年輕人會覺得這是老人的牢騷，但這也是懷念往昔之人不虛偽的真心話。我希望北野武在用餐時，能想起他的母親。

（阿熊）

人生而不平等，再怎麼努力也沒用

記憶中，我幾乎沒有和父親好好說過話。

前面也提過他是個典型的下町職人，每天一早確實去上工，回家時一定爛醉如泥。

孩提時代，我只要發現父親回到玄關，就急急忙忙窩進棉被裡。過了一會兒，就會聽到他和老媽怒氣沖沖的吵架聲。我不想聽這種聲音，於是用棉被矇著頭，塞住耳朵睡覺。這種吵架戲碼天天都在上演。

現在老爸和老媽都已過世。如果他們從另一個世界打電話來，或許會向我抗議：「哪有每天吵架！」

不，老爸不會打電話來。

如今回想起來，我感觸很深。

譬如老爸真的很認真地做刷油漆的工作。

現在我在下町那一帶的酒館，看到下工的工人獨自喝酒，不知為何總覺得很酷。可能是想起我老爸吧。

老爸的生活就像用三角規畫線，每天只在家裡、工地和酒館轉來轉去，所以當老媽說：「去叫你爸回來。」我只要循著這個路線倒過來走，就能輕易找到。他總是在酒館裡自斟自飲，那身影深深映在我的腦海。

說來也不是什麼特別的事，如今的我變得和老爸很像。

我也把小孩的教育交給孩子的媽，很少跟孩子們談話。

還有一回神，我居然也畫起畫來了。或許有人認為畫家和油漆匠不同，但其實差不多，英文都叫「painter」。

什麼親子感情和睦，我覺得太矯情了，很讓人受不了。當父親的就是要叼著菸，一臉凶相才剛剛好。

我是不懂什麼「愛家的好爸爸」，但自從理想父親的形象變成「總是面帶笑容、很懂小孩的心思、識相明理」，教育就變得很奇怪。

小孩的心思這種東西，只要是大人都會懂吧。畢竟每個大人都當過小孩。可是就算能明白小孩的心思，當父親的還是必須教導小孩，不行的事就是不行。

可是現在不教這種事的「識相父親」太多了。當父親的怎麼可以討好小孩？這到頭來就只是在裝可愛吧。

父親大可以成為小孩生命中的第一個阻礙者。

當父親的不可以怕被小孩討厭。

中學時，我家附近有一所有錢人家小孩就讀的私立中學。

那裡的學生腦筋當然好，也很受女生歡迎，連制服都很帥氣。去那裡比賽棒球時，我們又笨又窮，穿著更是寒酸土俗。從兩隊在球場上互相行禮致意開始，我們就只能垂頭喪氣，就連最重要的棒球賽都因為比數差距過大而被提前結束。那所私立中學的棒球也強得不得了。

沒有一項能贏得過，徹底被打趴在地。

我在那時就深深領悟到，「人生而平等」是天大的謊言。

像我家那一帶，要是有小孩說：「我長大想當醫生。」父母就會說：「不可能啦，因為你很笨！」若是要求：「我要新的棒球手套。」父母就會說：「別傻了，我們家這麼窮。」然後話題就結束了。幾乎所有事都被以「笨」和「窮」解決。

父母絕對不會說「只要拚命努力，一定辦得到」，取而代之的是反覆說：

「你那麼笨，死心吧。」

「你不用去學校念書啦，反正腦筋那麼差。」

「想要的話，等將來變成有錢人再買。我們家很窮，買不起。」

小孩聽久了自然也懂得分寸，學會死心和忍耐，並視為理所當然。

有些家庭搞不好連三餐都成問題，所以父母這麼對小孩說並沒有太深的意圖，真的只是太窮了。

不過大多數的父母也知道，以此教導小孩忍耐也是一種教育方式。因為小孩長大後，面對的是世態炎涼。在嚴峻的社會上，不懂得忍耐的人只有淘汰一途，這個道理大人比誰都清楚。

但後來拜經濟高度成長所賜，大多數人的生活比以往輕鬆許多。不僅不愁吃穿，也有了車子和彩色電視，很多以前作夢也不敢想的寶物，現在已人人擁有。小孩想要什麼玩具，只要使性子，大人大多會買給他。但也因此讓他們誤以為只要努力，任何夢想都會實現。

這真是大錯特錯。

無論過去或現在，事物的本質沒有改變。正確地說應該是，有些夢想是努力就可以實現的。

但世上也充滿了不管怎麼努力都實現不了的夢想，不是嗎？

「我大概到死都休想坐在壽司店的吧台吃壽司。」

我小時候時常這麼想。那時候我家頂多就只有客人來訪或是重大節慶，母親才會叫壽司店外送，大家坐在家裡一起吃。但這種機會也少得可憐。

小時候我常想，長大後能不能帥氣地拉開壽司店的門，坐在吧台說：「老闆，捏一卷鮪魚！」津津有味地吃起壽司來？然後總是輕輕嘆一口氣，心想這輩子不可能吧。

因為這個緣故，我清楚記得第一次吃到壽司是什麼時候。

我第一次吃牛排是在帝國飯店。那是鳥屋二郎[1]請的客，至今難忘。第

1 日本漫才師、落語家，藝名為哥倫比亞・萊特。

一次帶我去河豚屋吃壽司的則是Paul牧[2]。

我經常餓肚子，所以對食物的記憶特別鮮明。譬如哪位師父請我吃過鰻魚飯，就算其他事都忘光了，那鰻魚飯大概一輩子也忘不了。

巨人馬場小時候買不到合腳的釘鞋，於是穿著母親做的釘鞋上場打棒球。有位記者聽了這件事，感動地說：「您母親想必很辛苦啊。」結果馬場搖搖頭說：

「辛苦的是穿那雙釘鞋的我。」

他說穿那種釘鞋腳痛得要命，自己才更辛苦。這根本不是什麼感人的親子故事。

這在以前是理所當然的事，譬如長嶋茂雄也戴過母親用布縫製的手套打棒球。脫掉手套後，他的手想必腫得像手套一樣大吧。

現今的小孩長大後，會有以前一無所有的辛酸回憶嗎？他們可能會說：

「以前想要什麼身邊都有，所以我不知道該怎麼活下去。」

我小時候缺東缺西，幾乎一無所有。想要的得不到是理所當然的事。但也因此，得到時的那股喜悅，真是無法以言語形容。

我小時候的喜悅幾乎都是由這種死心般的嚮往，和到手時的快樂建構起來的。

現在的小孩有這種東西嗎？

如此一想，覺得真是不可思議。

是新款手機呢？還是得不到手的電視遊樂器？

現在很少有東西到不了手，因此人們才那麼愛排隊吧。為了一碗拉麵竟然排了一兩小時，我實在難以置信。不過排隊的本身或許就是目的。

我兒時感受到的那種整個世界一片亮白閃耀的喜悅，現在的小孩可曾體會過？

---

2 日本搞笑藝人，本名榛澤一道，以彈指搞笑動作風靡日本。

以前沒有超商，所以點心就是飯糰。

「我餓了。」

只要這麼說，母親就會用冷飯幫我做飯糰，還吊胃口地說：

「裡面包的什麼呢？」

因為家裡很窮，包的不會是什麼好料。八成是梅乾或味噌，再來頂多就是昨晚鹹魚乾切下的碎片。但因為是小孩，所以被母親這麼一說，我也好奇起來，帶著興奮的心情吃飯糰。

可是不管再怎麼吃，裡面什麼都沒有出現。

「什麼嘛，根本什麼都沒放嘛。」

我抬眼看母親，母親哈哈大笑。

這在以前就是一種親子遊戲。透過這件事，即使只是一個飯糰，小孩也能從中感受到母親捏飯糰的辛勞。無論如何都不會說愛是用錢買得到的。

現代人都買超商的東西給小孩吃，於是超商取代了母親的角色，有超商就夠了。

坐在超商前的小孩都是這樣的吧。對他們而言，超商就是母親，而停車場就是全家和樂團聚的地方吧。

現在的超商說不定也賣「愛」。

千萬別搞錯，人人平等只有在法律之前

小孩很棒，小孩有無限可能。

現在的大人會說這種鬼話。

並不是每個小孩都很棒吧。

說句殘酷的話，笨蛋就是笨蛋。跑得慢就是跑得慢，再怎麼喜歡棒球，打得差的傢伙再怎麼練還是打得差。

這種事大家都懂，卻還若無其事地說只要肯努力，任誰都可以成為一流。

事情並非如此，而是有天分的人要比誰都努力，最後才可能成為一流。難道跟鈴木一朗做同樣的練習，任誰都可以像鈴木一朗那麼厲害嗎？

戰後的民主主義使人人變為平等。這種平等只是法律上的平等，無論貧富都以同樣的法律制裁，給予同等的基本人權。實際上這種平等也很奇怪，只是表面原則而已。

所以很多人都搞錯了，誤以為每個人都是平等的。

即使在法律之前平等，人本身依然不平等。

譬如長相、身高、腦袋裡的東西，有一百個人就有一百種。

放眼這個世間，有吃路邊雜草充飢的年邁夫妻，也有開自家飛機去國外吃飯的富豪。

怎麼想都不平等吧。可是大家都想搞得人人平等，說出「只要努力就會成功」這種鬼話。

這比跟小孩說「因為你是笨蛋」要殘酷得多。

我不知道現在的小學一個班級有多少人，以二十人或三十人的小孩群體來看，每個孩子的能力還是有明顯的差別。不過最近運動會的賽跑，很多學校已經不一一排名次了。

他們讓全班一起跑大隊接力，靠大家協力完成一件事，或是手牽手和睦地一起跑。

這簡直就像電視的假掰校園劇。

也不管將來必須面對連勝到底的戰鬥，無論是升學考試，或是出社會後的競爭。

明明得在這種嚴苛的環境中戰鬥，卻說每個人都有無限的可能性，導致對落敗者毫無憐憫之心。

我認為應該讓小孩真正比出勝負。對於因跑輸而懊惱流淚的小孩，可以跟他說：「沒關係，你的算術很強啊。」這也是一種撫慰的方式。

若以「任誰都有無限的可能性」為前提，到頭來就會以「你不夠努力」為結論作收。

會輸只是因為不夠努力。若一直這樣跟小孩說，那就像有個想當漫才師的年輕人，你明知他前途無望，卻在耳邊低語：「加油，你總有一天會紅。」這不是愛。無論怎麼努力，做不來的人還是做不來。

簡單地說，假設有一千個人想進演藝圈，這些人當中到底有幾個人能靠這一行吃飯？頂多就只有一個吧。剩下的九百九十九個都要以死心為前提。這樣你還敢說「只要努力就能實現夢想」？真是滑天下之大稽。

為什麼要這樣硬逼他們？

凡事都歸咎到「努力」上，無視於人根本的差異。

害得現在的小孩連努力也不肯付出，認為只要有夢想，終有一天就會實現。

他們在這種狀態下突然被丟到社會上，腦筋才會變得不正常，一不如願就怪罪別人。說是父母的錯，就拿起球棒打父母；說是社會的錯，便繭居在家。有的人甚至轉而熱衷莫名其妙的新興宗教。

跟蹤狂也是這樣。他們從小被灌輸只要努力就能成功，所以不斷糾纏對方。到頭來對方若不接受自己的感情，便一口咬定是對方的錯，甚至殺了對方。

以前有句俗話叫「高嶺之花」，意指高不可攀的女人，現在很少人談這種事了。

總之，無論繭居族或跟蹤狂，他們都不知道世上有必須死心放棄的事。那就像只要哭就有牛奶喝的嬰兒，一直處於嬰孩狀態，完全沒有長大。

因此也有媽媽焦急地打電話去電視節目，邊哭邊問：「我家的小孩該怎麼辦？」我真想跟她說，有這種閒工夫打電話去哭訴，不如坦白對小孩說：「你辦不到啦！」這種媽媽真是搞不清楚狀況。

別說「只要努力就會成功」這種假惺惺的話。從小就灌輸小孩「人不是平等的」的觀念比較好。為人父母就該坦白地跟小孩說「你沒有這種天分」，確實告訴小孩：「不管再怎麼努力，沒用就是沒用。」

或許你會反駁，認為說這種話會讓小孩變得畏縮。難道只要不畏縮，運動神經差的傢伙也能拿到奧運金牌？

告訴自己的小孩「你沒有任何武器」，一點都不殘酷。若覺得這麼做很痛苦，就幫助小孩找到生存武器。

若找不到這種武器，至少要培育強韌的心，讓小孩在長大出社會後，即使受到現實的打壓，受了傷也能活下去。

不可以怕傷了小孩的心。受了傷，筋疲力盡，只要懂得放棄就好。讓小孩明白，想得到喜歡的東西必須付出努力，要是無論怎麼努力也得不到，那就只能放棄。

要趁小孩還小的時候，將這種非常現實的事灌輸到骨髓裡。

這才是當父親的職責吧。

一句「大家要和好相處」，讓霸凌轉明為暗

可能是基於掩蓋壞事的文化吧，最近說漂亮話或敷衍了事的風氣特別盛行。這種事和歧視用語的問題一樣，都是不去碰觸事物的本質，只想粉飾太平。

於是小孩成了純真、沒有汙垢的天使。

這種小孩霸凌別人，就是在模仿大人。所以事後才會說：「大家不要吵架，手牽手和好相處吧。」

確實，大人的社會和小孩的世界都存在著霸凌。但小孩的霸凌也不全然是模仿大人，因為小孩也是人。

自從人類站在自然界的頂端，不再以動物為敵後，就一直互相殘殺。非洲現在還有些國家的部族同胞會互相殘殺。我們看到那幕景象，總會說很野

蠻。

但這不是什麼大不了的事，因為在自己的國家，孩子們也在做類似互相殘殺的事。

人類的不可思議之處在於，不樹立敵人就無法和平度日。若沒有外敵，便在圈子裡樹敵，連那些祈願和平的市民團體都會彼此大打出手。

我聽羅馬宗教史的研究者說，耶穌那個時代的羅馬有很多像基督教這樣的宗教。

只要手一摸病就會好，或是能飛天，這種像耶穌基督的教祖多得是。而基督教只是在那場生存戰中勝出了而已。

這無須多做說明，歷史也已然證明，宗教與戰爭簡直像雙胞胎。而現代的我們也已明白到煩不勝煩。

打著信仰旗幟的戰爭，就等同在說無法證明自己信奉的神是真神。而且這樣打下來，難道戰勝的一方就是真神嗎？若果真如此，那真神還真喜歡戰爭啊。

但事情並非如此，是因為爭端遲遲未能了結，所以戰爭才會一直打下去。

霸凌這件事，可能從人類開始過群聚生活起就綿延至今。

小孩的世界也一直存在著霸凌。

而這個霸凌最近變得異常地陰暗，這表示孩子們的世界也變質了。

以前小孩的世界像狼群或山猴子一樣，非常講究排序，從帶頭的老大排到最弱小的。沒有人會說：「大家都是平等的，所以手牽手和好相處吧。」

在最早的入學典禮，壞孩子彼此睥睨便打了起來，就這樣建立起排序。

接下來就算和別校的人打架，也不太會在自己的學校裡，故意糾纏不休地欺負弱小的孩子。因為勝負很清楚了，沒有這個必要。

戰國時代的日本之所以內戰頻繁，也是因為排序曖昧不清。到了豐臣秀吉或德川家康的時代，也是因為排序確立，戰爭才終於平息。排序一旦敲定就沒人想打仗了，因為打了也是白打。

這就跟強悍的孩子打贏弱小的孩子沒什麼好自豪的，是同樣的道理。這麼做不過只是霸凌弱者。若老大做出這種事，信用會瞬間掃地。反倒是自己學校的弱小孩子，若遭別校的傢伙欺負而哭了，老大就必須出面討回公道。

現今教育主張人人平等，要大家手牽手和睦相處。這宛如在說：「要打就私底下打吧。」

讓全班跑大隊接力，然後老師說：「輸了要怪全班。」其實大家都知道究竟是誰害比賽輸了。

這和先前談的事情一樣。跑得快的傢伙就是跑得快，跑得慢的就是跑得慢。笨蛋就是笨蛋，醜八怪就是醜八怪。小孩自己心知肚明，根本沒有平等這回事。

可是在公開場合不能這麼說，所以就私下不斷地說。不能公開確立排序，便私下欺負沒能力反抗的弱小孩子，在小圈圈裡誇示自己的順位。這和以前相反，以欺負弱者來確認伙伴意識。

若老師發現這種暴力並加以譴責，孩子們便改以語言霸凌。近來的霸凌主流則是全班集體不理某個孩子。若這種行為也被老師禁止，孩子們一定會找到更巧妙的方法。畢竟被大人禁止的遊戲最好玩。對身為霸凌者的孩子而言，這也是最刺激的遊戲。

這就是現今的霸凌。

以前也有霸凌，像是罵人家笨蛋或醜八怪，但通常在公開場合罵一次就結束了。因為排序敲定後，就沒必要私下繼續罵。

小孩一旦形成集團，就會以動物本能定出排序。

仔細觀察小孩就能看出這一點。若不好好正視這一點，一味要大家手牽手、說漂亮話來解決問題，小孩的世界只會更形扭曲。

現在的學校老師或許都沒有好好地跟孩子們相處吧。

我小時候是很悠哉的。

前陣子，我遇到四十多年不見的小學級任老師。

這位老師以前常來我家玩。聊到這件事，老師懷念地說：

「就是啊！我很喜歡書，薪水都拿去買書，所以常沒錢吃飯。只要去你家，你媽媽就會做飯給我吃，還幫我洗衣服，有時候還會給我零用錢呢！真的幫了我很大的忙。」

現在的學校老師若做了這種事，八成會被教育委員會關切。但這在以前一點也不奇怪。

那時候社區和小學是連在一起的，一有新老師轉任過來，隔天整個社區都會知道。賣米的會送米去：「聽說你單身，想必沒有米吧。」從壽司店門前經過也會被叫住：「我有剩的壽司，老師進來吃吧。」

遠足的時候，穿著圍裙的媽媽竟也坐上車來照顧小孩。那時一班有六十個學生，老師根本忙不過來。坐在巴士前方，若有人暈車嘔吐，別的媽媽也會趕過去照顧。聽到有人沒媽媽、無法帶便當來遠足，米店和壽司店的老闆就商量做便當送到學校來。

這種事在以前是理所當然。小孩如果做了壞事，就連不認識的大叔都會揍他，更遑論反抗學校老師，就算再壞的小孩也不敢。

如果自由那麼好，為什麼足球會盛行？

父母罵小孩為什麼會成為問題，我實在搞不懂。

小孩嘛，揍就好了。

小孩也是人，也有他的權利，要尊重小孩的人格，好好地跟他說。說就會懂嗎？

開什麼玩笑。

當然有些小孩一說就懂，也有父母有能力用說的就讓孩子懂。

但若世上都是這種父母和小孩，罵小孩的方式就不會造成這麼大的騷動了。光是書店擺了一堆《罵小孩的方式》之類的書，就令人捧腹大笑。

用說的不懂才會用打的。就是因為有人說不可以打小孩，好好說小孩就會懂，才會不管過了多久小孩都不懂。

自己賺錢養小孩，怎麼可以讓小孩看不起？

也有人說「打小孩就是虐待」這種蠢話。

為了讓自家小孩學好而打他，和為了折磨他、殺他而打他，難道是同一件事嗎？

「就是有人這麼做，所以禁止打小孩。」

照這麼說，因為有人碾死人還肇事逃逸，所以一律禁止開車比較好囉？

況且會虐待小孩的父母，不會因為社會禁止打小孩而停止虐待。

不可以把打小孩和虐待混為一談。

話說回來，學校的老師也很頭痛吧。

現在只要打學生，就會被貼上暴力教師的標籤。搞不好只是罵罵學生，就會引來家長向學校抗議。

這簡直是要求老師不用鞭子調教猛獸。小孩是一種若不狠狠教訓，就會越來越放肆的生物。要是放著不管，班級崩壞也是理所當然。

以前我在學校被老師打，絕對不會跟父母說。這種事要是說了，父母也會跟著打：「你又搗蛋了！」

現在的小孩知道父母會向學校抗議，所以在學校一被老師罵，回家就向父母告狀，因此老師也不再罵了，導致教育環境越來越惡化。小孩不習慣被罵，出了社會就變得軟弱無用。

現今的父母看不見這種惡性循環。其實只要打小孩的屁股就行了，不聽話就抓來揍一頓屁股。父親只要叼著菸，讓小孩害怕即可。

一定要讓孩子從小就知道，這世上有無法如自己所願、令人害怕的人。畢竟孩子長大後要面對的世間波濤，遠比拳頭要殘酷無情數十倍。

教育小孩最重要的是箍框的方式，以及取下的方式。箍得太鬆，木桶會散掉，難以成形，箍得太緊也不耐用。

以前的小孩不管在家或學校都被框著。在學校是老師，在家則是父母，老師和父母說的話絕對要遵守，因此自由受到極大的限制。很多孩子對家庭環境和學校問題都只能忍耐以對。

然而現今正好相反，把籓框徹底拆掉了。無論在學校或家裡，小孩都拆掉籓框，可以自由說想說的話、做想做的事。

但另一方面，大人卻叫孩子別放棄夢想，動不動就逼他們拚命努力。說什麼不能當第一，至少也要當唯一，總之就是要找到能向別人誇耀的東西。這是一種矛盾。

很多小孩被告知可以自由做自己喜歡的事，反而不知道該如何是好。自由要在一定程度的框架下才得以成立。「可以做任何事」這種沒有框架的世界裡有的不是自由，而是渾沌。

想想足球就能明白。

足球是最不自由的運動。猴子都進化成可以用手的人類了，踢足球竟然還規定不能用手。

如此不自由的運動，為何風靡了全世界的年輕人？

那麼討厭被人束縛、高談自由的年輕人，會用手拿著球在足球場上奔跑嗎？他們絕不做這種事。

不，以前有個傢伙幹過這種事，據說這也是橄欖球誕生的原因。那麼變得更自由，是否就能得到更多年輕人的支持？似乎沒有。橄欖球之所以無法像足球成為世界性的運動，就是因為它太自由了，甚至可以用手。

無論哪個國家的人，都能直覺地理解足球的不自由。

反過來說，比利（Pele）和馬拉度納（Diego Maradona）有多厲害，即使是對足球不熟的人看了也知道。因為他們是世界級的球星。羅納度（Ronaldo）的傳球和射門之所以那麼美，是因為有「足球」這個框架。就如光與影的關係，正因在不自由的框架中奮戰，自由才能如此璀璨耀眼。因為人類受地心引力牽引在地，所以飛上天空成了長年的夢想。

現代教育做的剛好是相反的事。若要教導孩子自由的尊貴與喜悅，就該確實給予框架。

即使眼前有厚厚的牆，把小孩放在裡頭，他也會想辦法掙脫獲得自由。

有的小孩會把牆打破，有的小孩會在牆角挖洞，甚至會在牆內找到沒人發現的自由。

人類的智慧與想像力，正因碰到高牆或障礙才得以多元發揮。靠智慧與想像力翻越高牆，才能領略自由的喜悅。在什麼都可以自由做的世界裡，不需要發揮智慧和想像力，到頭來只會淪於吃飯睡覺看電視。最近的小孩沒什麼幹勁，也是理所當然的結果吧。

愛打電玩的心情我也明白。遊戲的世界之所以有趣，就在於荊棘之城或恐龍這類的障礙物。孩子們擺脫了不知道做什麼才好的真實世界，在小小的電腦世界中領略翻牆越壁的自由。

不消說，這種自由當然是虛擬的自由。遊戲裡的怪物原本就設定成打得倒，所以無論小孩如何發揮智慧去享受克服困難的喜悅，那都只是別人預先寫好的程式。

可是現在的小孩只能在這樣的地方找到自由的喜悅，不是嗎？怪只怪一味強調自由教育的糊塗父母沒有察覺到。

以前的小孩很怕老師，所以壞孩子只要敢帶小刀進教室就成了英雄。然而在現今打小孩會被視為暴力老師的學校裡，小孩得拿小刀刺人才能成為英雄。

討厭競爭卻想得第一，就是御宅族的本質

據說人類在進化成人之前，還是老鼠般的哺乳類時，被恐龍吃得很慘。這個記憶還殘留在ＤＮＡ裡，所以很怕蛇這種爬蟲類。

在馬拉松或長距離接力賽，看到跑者即使搖搖晃晃也拚命跑的模樣，會

感動得不得了或許也是同一件事吧。

也就是說，想起了人類還在鮭魚時代的事。

不只是鮭魚，候鳥和鯨魚也是為了生產必須經歷嚴酷旅程的物種。人類在進化成人的漫長過程中，說不定也有過這個時代。

我看過蝦子列隊在佛羅里達近海的海底綿延前進的畫面。產卵期的某天夜裡，為數驚人的蝦子排隊出發旅行。

魚群知道這件事，便去襲擊蝦子的隊伍。即便同伴被殺，自己的腳也被咬掉一塊、走起路來搖搖晃晃，蝦子依然默默朝向終點前進。這趟旅程宛如尋死，但蝦群依然持續前進。目的只有一個，那就是繁衍子孫。

看到這幅景象，我的眼眶莫名地發熱。搞不好是想起遙遠的從前，我們自己的樣貌吧？

儘管如此，只是跑完區區的市民馬拉松也不會想「誇獎自己」吧。要是在奧運奪得獎牌而誇獎自己，這我還能懂。就算再怎麼努力，沒有拚出成績有什麼好誇獎的？

然而不知為何，現在的社會標榜「過程比結果更重要」。再怎麼努力也沒用，所以死心放棄，這我還可以理解。可是在這裡誇獎自己、自我滿足，就結束了嗎？

因為無法當第一，所以當唯一，這種道理想想還真是歪理。所謂當唯一，就是尋找只有自己能做的事。如此一來，就能免於麻煩的競爭。換言之，當唯一的意思就是「找到沒有競爭對手的世界潛進去，你也可以成為第一」。

人人都喜歡第一。

可是在沒有競爭的世界裡怎麼會有第一？真正有意義的工作，不會獨自一人就辦得到。有人輸，就有人贏。

可是討厭輸、不讓自己的小孩認輸，所以才跟小孩說努力有價值，要他們去發掘能成為唯一的領域。

明明否定競爭，卻執著於第一。

這就是御宅族越來越多的原因。

關在競爭對手少的世界裡，沉浸於自我滿足，這就是御宅族。他們否定正常世界的常態競爭，說這些事愚蠢無比，但其實只是討厭輸，無法忍受失敗受傷。

於是潛入偏離主流的非主流世界，找到世上任何人都不關心的領域，喜孜孜地說：「只有我懂得這個好在哪裡。」藐視不懂這個的社會，沉浸在倒錯的優越感裡。

著迷於全世界只有十個人懂的算式，努力想解開它的數學家看起來或許也像御宅族，但本質上是不同的。數學家感受到的是解題的喜悅，或許也有優越感，但這個優越感是正當的。全世界的人們對這個算式不抱持關心，是因為沒有能力理解它。但數學家相信，即使現在沒人理解，只要解開這個難題，總有一天會對人類產生意義。

御宅族的優越感只是自以為是的優越感。御宅族的知識本身沒有意義，只有沒人知道的事物對他們才有意義。萬一這個御宅族喜歡的世界陰錯陽差地成了主流，大家都像在戳弄垃圾桶角落似的，談論其無聊的蘊義時，御宅族肯定會立刻逃出去。

日本的御宅族文化風靡全球，也有人從中創造出價值。但就我看來，若事情果真如此，那根本就不是御宅族了。那個價值的本身是在常態競爭中勝出的吧？在這個競爭中，一定也發揮了人類的智慧與想像力。即便是非主流領域，反倒還更接近數學家的世界。

因為會輸，所以討厭競爭。但又想當第一，瞧不起別人。這種撒嬌任性的不成熟心態，才是御宅族的本質吧？

小孩和御宅族很容易發飆。發飆是腦袋裡的理智線斷裂，無法拚命思考。

以前小孩說：「肚子餓了，沒東西吃。」顧名思義就是沒有任何食物，然而現在的意思則是「沒有我喜歡吃的東西」。

這差別可大了。

阿熊曾感嘆地說，問現在的小孩「想吃什麼」，小孩都會回答「什麼都好」。他說小時候，大人若要給他吃自己愛吃的東西，他都會「拚命地想，想到都快發燒了」。

以前有「智慧熱」這種事，現在的小孩會拚命思考到快發燒嗎？

想要什麼都能得到。只要使性子耍賴就有喜歡的點心吃，有這種天堂般的生活可以過，就沒必要拚命動腦吧。

說是天堂，充其量也只是吃到飽餐廳的天堂。但也因為可以吃到飽，反而變得不想吃，吃東西的喜悅也變得稀薄。

不單是食物，對現在的小孩而言，凡事都像吃到飽餐廳。玩樂也是，讀書也是。大人已經把一切都準備好了，只要小孩開口，就會無止境地給予。喜歡什麼都沒問題。

什麼都毋需思考。

所以小孩才會動不動就發飆。

即使如此，生活也沒什麼不自由，每天都過得還算開心，就算小孩變得有點笨，大家都很幸福就沒什麼好抱怨，這就是現代父母的心聲吧。即使寬鬆教育使小孩變笨而引起一些騷動，也沒聽過因此發生暴動。

可是這麼一來，簡直就像牧場裡羊的生活吧。不，說不定根本就像頭羊。

手機和網路企圖奴役全人類

生活在日本，無論大人小孩都可以做自己喜歡的事，認為自己是自由的。就這層含意來說，放牧在原野上的羊應該也不覺得自己受到束縛。不過，沒有人會說那個牧場的羊是自由的，羊只是不知道自己是人類的家畜。

同樣的，生活在現代社會的大多數人都沒發現，就某個意義而言，人類已成為手機和網路奴隸。

大家都認為手機和網路可以隨自己的自由意志使用，因此就像買鋼筆和百科全書，因為方便，於是買了手機和上網用的電腦。

剛開始確實是如此，但隨著這些東西普及後，短短十年間，事情就不一樣了。手機和網路已經超越了便利工具的範疇，逐漸成為生活必需品。明明以前沒這種東西也完全不礙事。

更何況，買手機和買鋼筆根本是兩回事。

不過關於這件事，我不能說什麼大話。

我雖然不用手機，可是我的經紀人和司機為了我經常使用手機。我的生活也受到手機的恩惠與束縛。

此外我也常上網看東西。起初是聽說網路可以看到很多國外的色情圖片，於是我跟北野武軍團的人說：「去給我買網路來！」大夥兒哄堂大笑地幫我接了網路，於是我開始上網。能看到色情圖片是很好，可是我不知道怎麼關就放著不管，後來收到鉅額的帳單，簡直嚇壞了。

不過最近也看膩了，就把網路當百科全書用。

有一次鼻血流不停，上網查了一下，把我笑翻了。

網頁開頭寫著：「若因以下情況而流鼻血，請立即就醫。」接著列舉必須就醫的情況，第一個是「筷子插進鼻孔的時候」，第二個是「竹籤刺進鼻孔的時候」。

筷子或竹籤刺進鼻孔而血流不止，當然要去看醫生啊！我獨自對著電腦吐槽，捧腹大笑。

買手機，其實買的不是手機，而是與人的溝通。

每次用手機和人講話，口袋裡的錢就流進電話公司。雖然打室內電話也一樣，但室內電話會受到場所的制約。自從大家都有了手機，就能隨時隨地和別人通話。

這確實很便利，但從另一個角度來看，隨時隨地和別人通話也很花錢。手機有傳訊、照相、上網等功能確實很方便，讓人欣喜萬分，但從另一個角度看，這也是更巧妙地在掏空人們的荷包。

以前在回家路上看到路邊開了漂亮的花，會回家跟母親說：「媽，花開了喔！」現在的小孩則是用手機拍照傳回家。

迷路時不必問人，用手機上網查。

現在連過馬路或在咖啡店和人聊天，都有很多年輕人一直低頭看手機。手機簡直成了腦漿的一部分，凡事都要用到。

而且每次使用，錢就會從四面八方流入某些人的口袋。這些人一定笑到直不起腰。

無論是談下任首相是誰、社會動盪話題的政治家，或半夜坐在超商前傳簡訊的小鬼，用手機的是什麼樣的人都好。這些人看到他們一定會暗自竊笑。他們講手機時吐出的氣息，看在這些人眼裡一定就像鈔票吧。

以前得抽鞭子徵收年貢，現在只要給民眾一支手機，人家就會乖乖把錢上繳。

以前歐洲的人民結婚時，新娘的初夜是領主的，若新郎不願意就得付錢，叫做處女稅。

竟然有人想出如此荒唐的事。但再惡劣的領主也萬萬想不到，人民和別人說話竟然也可以收稅。

惡劣領主若在現代復活，看到手機一定會狂喜亂舞。

「未來果然很進步，居然發明了這麼棒的收錢機器。」

既然能做出一講話就能收錢的機器，說不定會進一步發明只要睡覺、呼吸就能收錢的機器。

太多人沒察覺到這件事。

儘管手機為生活帶來許多便利，人們依然很少用手機做有意義的溝通，頂多就是說「今天約會很開心」或「我踩了這麼大的一坨大便」這類的話。

網路也是，究竟有多少人正確地使用網路？上網寫別人的壞話、看別人寫的壞話，或是像我一樣看色情圖片。還有人被莫名其妙的網路詐騙商品給騙了呢！

我們沒察覺到為了說沒意義的話、傳簡訊和交換資訊，正持續浪費金錢。

簡直就像被圍在牧場裡、隨季節被剃毛的羊。

「我們不是羊！絕對不用手機！」為什麼沒有年輕人留意到這一點，站出來宣示？除了手機，明明還有很多通訊器材。

若要修改教育基本法，比起培養愛國心這種抽象議題，讓孩子了解手機的黑暗面還比較重要吧。

第二章 人際的問題

人類從什麼時候開始，吃東西時會說好吃和難吃？
可能是從擺脫被其他動物吃掉的危險開始的吧。
我能為別人的成功高興，也是從不必擔心被別的藝人吃掉時開始的。

真心拍手叫好

我曾應邀上北野武的電視節目《人人都能成為畢卡索》，從店裡帶料理和紅酒給演出人員享用，那一集的特別來賓是當紅的綾小路Kimimaro。

那一天，北野武的表現一反常態。

導播也說沒看過北野武在正式錄影時，說得那麼慷慨激昂。而且還一杯接一杯喝我拿去的紅酒，喝到經紀人見狀都覺得不妥，拉拉我的袖子，附耳說：「別再給他斟酒了。」這可是正式錄影，他卻喝得醉醺醺的。

他在我店裡也沒喝到這種程度。節目錄得亂七八糟，他卻喝得很開心，這種情況很罕見。看來北野武是真的很高興。

他在高興什麼呢？他在高興綾小路的成功。

當年北野武進入淺草的脫衣舞劇場，綾小路算是他的競爭對手。雖然雙人的漫才和一人的漫談截然不同，不是直接的競爭對手，但在北野武苦修技藝往上爬的這個時期，綾小路也同樣以年輕藝人之姿站上舞台。

北野武看了綾小路的表演，也覺得「這個人很厲害」，但他後來徹底甩開綾小路，走上自己的星途。雖然他沒踐踏也沒欺負綾小路，但總覺得自己把伙伴拋在後面，有一種愧疚感。

而綾小路卻在中年之後，突然人氣暴漲。北野武想必開心得不得了吧。他真的非常善良而溫暖，對此拍手叫好。請綾小路上自己的節目，就是想聲援他，而把我這個廚師叫去，或許也是想款待綾小路。

但錄完節目後，北野武來我店裡談到這件事，邊喝酒邊說：「其實啊……」說出了一段令人意外的事。

北野武還說：「我是個討厭的傢伙。」我不這麼認為，也覺得沒必要把真心話說到這種程度。我覺得做人不必如此誠實，但北野武卻非說不可。

他像個認真誠懇的孩子，非常正直，同時也能非常客觀地看自己。演藝圈表面光鮮亮麗，卻是個弱肉強食的世界，他冷靜地觀察待在這個世界的自己。我想他那難以言喻的體貼、謙虛和好品格，就是由此萌生的吧。

（阿熊）

心有餘裕，才可能為他人的成功喝采

人類從什麼時候開始，吃東西時會說好吃和難吃？有一次我和阿熊聊到這個話題。

當人類和其他動物一樣，活在只為生存而吃的時代，好不好吃應該無所謂。所以應該是在某個時期，人類開始對食物的味道挑剔起來。那是什麼時候呢？

阿熊說，可能是從人類擺脫被其他動物吃掉的危險開始的吧。在自己可能會被吃掉的狀況下，不會去管食物好不好吃。我覺得他說得很有道理。

這個道理也能套用在我身上。

我能為別人的成功高興，也是從不必擔心被別的藝人吃掉時開始的。

綾小路 Kimimaro 走紅時，我真的很為他高興。

因為同世代裡出了還能藉搞笑走紅的藝人。

以前，我這個歲數的藝人沒有突然走紅的。現在活躍於諧星界的都是年輕人。而我算是已離開諧星界，也一直沒表演漫才了。

綾小路Kimimaro的爆紅，讓我知道這個年紀仍大有可為。

他並非運氣好，僥倖走紅。綾小路的笑梗和演技都非常有趣，我明白他能大紅特紅的原因。放眼目前淨是年輕人的諧星界，看到同世代的藝人大放異彩，我真的很高興。

不過，我能由衷地為他高興也和環境有關。我並非受到綾小路爆紅的刺激，想像以前那樣再次投入搞笑表演。

我現在也會戴著奇怪的面具上電視，但那不是搞笑。我雖然當演員、拍電影，也在外國拿過獎，但我討厭老是被當作單純的文化人看待。

我現在搞笑耍寶，是為了表現自己依然是「搞笑的北野武」，並非像以前那樣想讓全日本笑翻天。儘管以前我就不討厭在人前搞笑耍寶。

但若現在我還得和綾小路站在同一個舞台搶一個位置，我可能無法如此開心。

講白了就是，能為別人的成功而高興的人是幸福的。

要是我依然是個沒沒無聞的藝人，卻能為綾小路的成功而高興，這或許很了不起。但若我不紅的話，碰到爆紅的綾小路，嘴巴上可能會說句「恭喜啊」，但內心一定會靠夭：「這也太扯了！為什麼我沒紅，那傢伙卻紅起來了？」

我們在同一個時期進入這一行，也吃過同樣的苦，可是我在二十五年前就紅了喔。因為我心裡有這種餘裕，所以才能為他感到高興。說來實在慚愧。

我很高興他紅了。能坦率地為別人的成功而高興是多麼幸福的事。到了這個歲數，我才終於明白。年輕時我一直很焦躁，雖然不是很嚴重，但也無法為別人的成功感到高興。

當然，和其他事物一樣，成功也有它的光與影。

Two Beat時代，一九八〇年代的漫才風潮

我那個時代之前的漫才，其實是從美國引進的產物。

最早是Entatsu & Achako[1]，然後從渥美清到萩本欽一，日本代表性的喜

1 日本大正昭和時期的漫才組合，由橫山Entatsu和花菱Achako兩人組成。

劇演員幾乎都是搖滾座、法國座、日劇音樂廳等脫衣舞劇場出身的。我也是從脫衣舞劇場發跡的，所以以為這是日本特有的形態。

其實追根究柢，可以溯源到百老匯附近的舞孃俱樂部。

舞孃俱樂部是女子光著身子跳舞，中間穿插喜劇演出的酒吧。勞萊與哈台（Laurel and Hardy）、艾博特與考斯坦羅（Abbott and Costello）都曾是這種舞孃俱樂部的喜劇演員。艾博特與考斯坦羅的知名脫口秀〈誰在一壘〉（Who's on First?），橫渡太平洋成了Entatsu & Achako〈早慶戰〉的梗。荒謬三人組和我的恩師深見千三郎，都用過艾博特與考斯坦羅的梗。把這些看成是日本特有的東西，真是天大的誤會。

不過這種時代在日本沒有持續太久，可能是文化差異吧。在美國，脫衣舞秀和搞笑短劇可以享有同等的地位。美國有那種氛圍可以將脫衣舞秀和搞笑短劇視為同樣的娛樂享受。

但這種發想在日本行不太通，因此總是以脫衣舞秀為主。

不過就文化來說，吉原地區在以前江戶和明治時代也有「幫間」。幫間就是在酒席上討客人歡心、表演雜耍的助興藝人，而且是男藝人。舞孃俱樂部的形態就和這個差不多，由幫間陪酒助興，再由藝伎上場表演。真是悠哉的娛樂啊。總之那是個美好的時代。以現代來說，就像土耳其浴裡出現搞笑藝人。

現在的搞笑藝人若在這種地方說「大家好～」，一定會被幹譙：「你是來鬧的吧！」遭海扁一頓。

我那個時代的脫衣舞劇場正是如此，很少有人專程來看搞笑演出。因為在這種舞台上鍛鍊過，所以淺草藝人才會備受誇讚。我原本也這麼認為，但其實是錯的。

不管客人是不是來看裸女，藝人的本質就是讓客人笑，結果搞得表演越來越低級。這在以前就叫「江湖技藝」。和江湖藝人在大街上叫住行人推銷一樣，為了引起注意而去驚嚇客人。

基本上，若想磨練本事，還是面對付錢來看搞笑表演的觀眾為佳，跟這種人決勝負才能精進技藝。就像在草皮精良的球場踢足球，球藝當然進步得快。以廚師來說，在那種只求分量多的大眾食堂學藝，再怎麼學也無法做出好料理。當然，好料理的定義另當別論。想在工作上有所精進，還是要跟好客人過招。

我是在脫衣舞劇場打滾過的，所以剛來到演藝場說漫才時，還以為這裡的客人很容易搞定，畢竟他們來此的目的就是想笑。

不料竟揮棒落空，那種悲慘真是難以言喻。

那時我的心情跌到谷底，整個人焦躁不安。

在脫衣舞劇場不管再怎麼搞砸，我都不以為意。反正客人不是來看裸女，就是來買醉，不笑是理所當然。

但面對付錢來笑的客人，這種藉口就行不通了。客人不笑，就只能怪自己。那真的很痛苦。

因為痛苦，所以努力，拚死拚活地努力。

我們那個時代也有幾個像ＮＨＫ漫才競賽的節目，不在那裡獲獎就遲遲無法受到肯定。同期的藝人陸續獲獎，而我們 Two Beat 卻是無冠帝王，始終和獎項無緣。但我不認為自己輸了，因為我們在演藝場比較受歡迎。明明現場表演我比較好笑，為什麼就是贏不了呢？這和日本式的規則有關。

比起才藝本身，獲獎與否取決於藝人協會、電視台，以及相關師父們的看法。

「這個人做很久了，差不多該讓他得獎了。」

「來了一個叫 Two Beat 的新團體啊，確實很有趣。不過他們之前沒參加過比賽吧。」

被這種狗屁倒灶的事頻頻打壓，那時我真的恨透了。

我認為表演是自由的，深信這一行單純靠實力，在劇場最受歡迎就是最了不起的。但現實竟是如此狗屁倒灶，讓我火冒三丈。

因為討厭被組織或公司束縛才選擇當藝人，想不到進了這一行，才發現比一般社會上更嚴苛的柵欄就在這裡。

不過也不限於表演這一行，音樂或繪畫的領域也有同樣的事。表面上說比賽是給優秀的年輕藝術家機會，實際上打從一開始，評審和主辦單位就談好讓誰獲獎，這種事屢見不鮮。

所以從那時起，我就非常羨慕運動選手。

無論短跑或馬拉松，誰輸誰贏一目瞭然。槍響時一齊起跑，最先抵達終點的人獲勝。不會因為這個人努力很久了，明明是第三或第四名的選手卻獲得金牌。不管你努不努力，賽跑就是以速度分輸贏。

而演藝界為什麼能用「這個人很努力」為由，把獎頒給表演得不怎麼有趣的藝人？這讓我打擊很大。明明最能讓觀眾捧腹大笑的是我，卻拿不到獎項，這種現實一直使我憤慨不已。

我更不願為了得獎，去巴結漫才協會的幹部或ＮＨＫ電視台，心裡想的只有：不管要奮鬥幾年，我不靠這些人的關係也要闖出一片天地。

我也常和人吵架。

某次應電視台或廣播之邀去表演漫才，製作人對我說：「有夠無聊的。你就沒有其他的梗嗎？」我說聲「沒有」，便轉頭走人。

在電視台錄影時，現場明明有觀眾，導播居然跟我說：「稍微演一下你們的段子吧。」說是在正式錄影前若沒看到段子，會不曉得我們表演的是什麼。真是荒唐到家。

「不做就不能上節目喔。」導播說。那時我也是直接走人。

當然也有人常來淺草看我的漫才表演，覺得有趣才叫我上節目。這跟紅不紅、是不是新手無關。

這些人創造了一九八〇年代的漫才風潮。

漫才風潮在電視界大行其道之後，就連以前曾叫我滾的傢伙也變了個人似的湊了過來。

「能不能請你上我們的節目？」

「你以前不是叫我滾？不是很討厭Two Beat？」

「請Two Beat上節目是電視台的方針，製作人也說漫才節目沒請Two Beat很奇怪……」

以前對我擺架子、瞧不起人的傢伙，這回卻諂媚地對我鞠躬哈腰。或許這麼說就像個性很差的大叔，可是坦白說，那時我真的覺得很爽。

我不認為這是復仇。但能證明自己沒錯，真的很開心。

為了我一個人走紅，不曉得死了幾萬人

我和綾小路走紅的背後有多少人落馬呢？不是十人或二十人，是幾千幾百人中唯獨我們兩個。

綾小路的走紅讓我很高興，但也覺得彼此的運氣都很好。不紅的藝人真的很痛苦，有時甚至覺得連人性都被否定。我和綾小路就像在地獄般的戰場上唯二倖存的士兵，有彼此相知相惜的連帶感。我常跟年輕的後輩這麼說：

「我覺得在東京的演藝界，為了創造出一個北野武，不曉得死了幾萬人。」

回淺草時，以前的前輩也對我說：「要是沒有你就好了。」

「因為出了你這個人，我們都空空如也了。」

「北野武出來的時候，我有想過別幹了。」

類似這樣的話，現在喝酒時還是會聽到。

若要說洩氣話，我覺得自己做了很壞的事。我並不想做互相扯後腿那種噁爛的事，但就像飲食中的殺生一樣，我們殺牛羊來吃而得以存活。

靠漫才走紅，頂多只有幾千分之一的機率。然而生命從最初開始，便得在嚴酷的相殘中存活下來。

最近研究發現，精子也有各自的職責。

有一種精子叫「取卵者」，顧名思義就是獵取卵子。這種精子的職責是授精。

還有一種是「殺手精子」，會擊殺取卵者精子。自然界不盡然是一夫一妻制，其他的雄性精子也有可能進入雌性的子宮。殺手精子會殺掉其他雄性的精子，讓自己的取卵者精子處於有利態勢。此外也有精子會專門保護自己的取卵者精子，免遭敵方的殺手精子迫害。

生命從精子階段就開始分敵我，一邊猛烈競爭，一邊朝著卵子前進。能夠抵達卵子並倖存下來的精子，在幾億個之中只有一個。

「生」即是「殺」。

藝人也一樣。身分低的藝人不可能考慮別人而去演不好笑的段子，而我們的漫才太受歡迎，根本沒有工夫去斟酌會不會擋到前輩的光芒。

想在這一行混下去，只能靠自己的漫才決勝負。

儘管如此，當只有自己走紅時，說絲毫沒有愧疚感也是騙人的。

人並沒有這麼堅強。

寄席[2]有些行話，例如最後壓軸的稱為「取」，在這之前出場的藝人稱為「收」，以漫才或表演節目而定。

為了讓觀眾能專心欣賞師父「取」的表演，「收」得先上場讓一路笑的觀眾平靜下來，行話叫做「收拾客人」。以前我們當「收」的時候，常被師父罵：

「你們要讓觀眾平靜下來，怎麼可以把觀眾搞得更混亂！」

若前面的藝人太受歡迎，後面的出場者一定難以發揮。

不管師父再怎麼罵，這也是沒辦法的事。後來我們被換掉「收」的位置，改成第四個出場。原以為有了間隔就可以放心，但事情並非如此。

觀眾看完我們的漫才，居然起身走人。只為了Two Beat的漫才而來的觀眾越來越多，所以等到壓軸的師父上場，觀眾幾乎都走光了。

作為暖身節目上台時也發生過同樣的事。

那是內山田洋和Cool Five的秀，我們簽了半年的約去做暖身節目。剛開始沒什麼問題，後來Two Beat的人氣暴漲。

觀眾席雖然大爆滿，但Two Beat的漫才一表演完，觀眾連主場Cool Five

的歌都不聽便紛紛走人。

不過內山田生先很了不起，他如此拜託我：

「小武，不好意思，改變出場順序吧。」

他說他們要先唱歌。如此一來，Cool Five就成了我們的暖身節目。

「可是，這是Cool Five的秀吧？」

聽我這麼一說，內山田先生也笑了。

「沒關係啦，就當是你們的秀吧。」

這個人真是了不起。

---

2 指表演落語、浪曲、講談、漫才等藝能的表演場。

將腦袋分兩半，無論做什麼都想著漫才

那時我的神經線路亂七八糟，亂到擔心自己是不是瘋了。一開口說話，就像恐山的靈媒般陷入恍惚狀態。

在兩小時的廣播節目裡一個人說個不停，結束後到了咖啡店，經常問人：「我剛才說了什麼？」別人跟我說，你說的就是這個呀，「我說了這個？」完全沒有印象。

嚴重時，我還曾把筆記本放在枕邊，一邊和女人做愛，一邊寫梗。年輕時精蟲衝腦，我一方面渴望滿足性欲需求，另一方面也不時在想漫才梗。一想到明天能用的梗，非得立刻寫下來。

跟女人做那檔事時，也一定要把筆記本翻出來。腦袋分成兩半，無論做什麼事都想著漫才。

現在的年輕人可能會單刀直入地說「來做愛吧」，但以前說的則是「來吃頓飯吧」。

其實飯吃不吃都無所謂，只是想和那個女生上床。

即使說「來吃頓飯吧」，也不能第一次吃飯就突然邀對方上賓館，有很多麻煩的規定。吃過三次飯大概就沒問題了。

那時我很年輕又忙於工作，經常連睡覺的時間也沒有，所以和女生吃飯喝酒時，我曾經這樣邀對方：

「妳喜歡我嗎？」

「嗯。」

她點頭了，於是我說：

「那就這麼辦吧。通常要再吃兩次飯才能邀妳上賓館，不過我沒那個時間。我把剩下兩次的飯錢和賓館費給妳，我們現在就上賓館如何？」

女生聽了當然大發雷霆，把我罵得狗血淋頭，說我低級下流。

但若一定要吃三次飯才能上床，我會發動攻勢，早午晚都一起吃飯。早上約她出來吃早餐，中午碰頭吃午餐，晚上再吃晚餐。好，可以上了吧？

我知道這麼做很過分……，可是若隔三、四天才能再吃一頓飯，那會變成兩星期的長期抗戰。我的個性很急，受不了這種事。如果用錢可以解決，我什麼事都想用錢解決。說來確實過分，但那時我的心情就是這樣。

雖然是完全無關的事，但我認為外遇對象越多越好。

只有一個外遇對象會變成三角關係，出現銳角。找兩個就變成四角關係，找三個就變成五角關係……越找越多，形狀就趨近於圓，銳角也會消失。我說這樣就不會起風波了，結果卻被罵大笨蛋。

但我還是暗自認為這是真理。

這是以前的事了。有個女人對我說：

「最近你都不約我出去，是不是有情婦了？」

我跟她說：「妳在說什麼呀，妳就是情婦吧。身為情婦，不可以說這種話。」她哭著臭罵我一頓。

上舞台也是雙重人格。

觀眾看得很開心，我的漫才也表演得越來越起勁，但腦袋有一半卻冷漠得像殺手。在吐槽或耍寶的時候，我也會極其冷靜地看觀眾笑的空檔。

什麼是觀眾笑的空檔？

就是觀眾的笑聲和藝人的聲音重疊，觀眾聽不見我們說話的那個瞬間。

若無視這個瞬間繼續說下去，客人當然會在意剛才說了什麼，如此一來笑聲就會中斷。哪怕只有一下子，也會造成冷場。聽不見說話聲的不悅，會讓樂在其中的觀眾回過神來。

為了避免這種情況，表演者必須算準時間，趁觀眾回過神來前追加火力。漫才說得越好笑，觀眾也會笑得越厲害，所以拿捏時機也變得更困難。必須隨時繃緊神經，敏銳地觀察，宛如殺手般緊盯觀眾的反應。

與此同時，若讓觀眾發現我像殺手般冷靜，也會嚇到他們。所以必須表現出不禁噴笑的模樣，讓觀眾覺得「這傢伙也樂在其中」。

喜劇表演是很微妙的，不是有趣好笑就好，觀眾對藝人的狀態和情緒也會有所反應，而且敏感到近乎殘酷。讓觀眾放鬆的同時，也必須全神貫注於表演，否則無法保持笑聲不斷。

以生理學來說，笑是從緊張中獲得解脫。跟寶寶玩「不見了，不見了，啪」的遊戲，寶寶一定會笑。一把臉遮起來，寶寶就以為這個人消失了。剛才還在這裡的人突然消失了，寶寶會開始緊張。但當你「啪」的一聲露臉給寶寶看，他就會從緊張中解脫，笑出聲來。

大人的笑在本質上也是一樣。

搞笑藝人就是拉著緊張和解脫的韁繩，以人工的方式引發「笑」這種自然現象。說得極端一點，這韁繩和演藝場的所有觀眾是一對一牽動著。手上拉著幾千條韁繩卻不能讓觀眾發現，以一副天生蠢蛋的表情站立在笑聲的漩渦中，這就是搞笑藝人。

在劇場的爆笑漩渦中，唯有自己清醒如冰。

這個反差有一種奇妙的快感。

所以面對三千人或五千人表演漫才，只要有觀眾沒笑，我一眼就能看出來。

全場都在哈哈大笑，但是有個地方怪怪的，定睛一看只有一個觀眾沒笑。

即使幾千人都在笑，我也看得見那個人。

因此我經常為了讓一個人笑，在那個人身上集中心神表演漫才。

不久後，我們在演藝場有了一席之地，休息室的藝人全都來看我們表演。表演漫才時忽地放眼一望，發現其他藝人竟在觀眾席後面站成一排。

這時我就不管觀眾了。

不斷說瘋狂的梗，想讓同業發笑。看到藝人們在觀眾席後面捧腹大笑，真的很痛快。結果觀眾被拋在一旁。但也有觀眾懂我的笑梗，這些觀眾想必很自豪，而且覺得比普通漫才有趣千百倍。

我就這樣不斷琢磨技藝。

以通俗的話來說，就是忘我地投入漫才裡。

不過之所以這樣拚命努力，並非想成為走紅的藝人。我當時並沒有懷抱這種夢想。

我在還不紅的時期，擔心的不是紅不紅。

那完全是不同次元的事。當時為了討口飯吃就已經拚盡全力，腦袋裡想的只有：「明天我還有漫才這份工作嗎？」

接到歌手的暖場秀，會有幾萬塊現金入手。

「啊，太好了！這樣就能付房租了。」

我過的是這種生活。

那時替很多人做過暖場，例如石川小百合、細川貴志。

漫才師在歌謠秀的舞台上很沒地位，連歌手的臉都看不到。萬萬沒想到我日後竟然有了自己的節目，請他們當來賓、調侃他們。因為那時漫才師就算上了電視也只是表演漫才，不可能擁有自己的節目。

改變那個時代的不是我們，是短劇55號的萩本欽一。

基本上，現在電視的搞笑節目就是萩本欽一做出來的，藝人的搞笑耍寶也託他的福水漲船高。

萩本欽一成為先驅者，創造了搞笑盛世。之後又出了三波伸介等人，我們則是更後面的二軍。

一天上三次電視，連續一兩個月下來，走在路上就有人叫住我：「啊，是Two Beat！」

但不是說「啊，是北野武！」而是「Two Beat比較矮的那個」，或是「愛說話的那個」。

就這樣上了半年電視後，年輕一輩和喜歡漫才的人就認識「Two Beat的北野武」了。

一星期連續七天都上電視，擁有幾個收視率超過二十%的節目。花了十年的時間，終於從北海道到沖繩，沒有人不認識我。

紅起來就是這麼回事。

稍微離題一下，我經常遇見看著那時的我長大的年輕人。當然也有狂熱的傢伙要我收他為徒，或是受我的搞笑影響而成為藝人，也有不少年輕人進了電視圈。有的人是直接跟我說，有的人則是我自己看搞笑節目和綜藝節目時發現：「啊，這是看我節目的傢伙。」

以時代來說，看《北野武的元氣電視》或《風雲北野武城》長大的孩子當上了電視製作人和導播。

若說是受我的影響，我也覺得高興。可是坦白說很遺憾地，他們做的節目幾乎只是模仿我們，還沒有創造出令人驚艷的搞笑。我不認為有任何新穎之處。

現今的搞笑演出顯然進入了停滯期。

即使在繪畫的世界，出現了印象派以後，一直到立體派問世也花了相當長的時間，這是無可奈何的事。看膩了我們的搞笑，就應該像立體派那樣，創造出新的搞笑演出。現在可能還停在下一個階段前吧。

但這並非諧星界特有的現象，現在無論音樂或藝術都陷入了停滯狀態，還沒創造出新東西。就算乍看覺得新穎，仔細端詳也只是以前的老梗，換湯不換藥。

這種現象有時也會讓人覺得人類文化，或是人類本身似乎走向了終點，懷疑人類的文明是否已邁向崩壞。

我希望並非如此，但願現在只是過渡期，忍耐過去就好。但願只是剛好處於停滯期，以後一定會有嶄新的東西出現。

我那個時代的藝人一心一意想毀掉以前的搞笑。說一句誇口的話，現在找不到像那時的我們那樣的藝人了。

笨蛋，我自己開就看不到保時捷了

雖然紅了，我卻擔心這種狀況能持續多久，所以就算忙得要死，就算會犧牲睡眠時間，我也常去喝酒。

來到酒店，藉著小姐們大喊大叫「小武來了」來確認自己是個紅人。吃喝玩樂不僅為了消除壓力，也是為了確認自己還紅不紅。

走紅前的辛酸過於刻骨銘心，所以我很怕失去到手的東西。

那時經常和我出去玩的是B＆B的島田洋七。

因為我們的境遇相似，常一起去銀座的高級俱樂部幹蠢事。我們都不知道這種地方的正規玩法就胡攪瞎搞，簡直玩瘋了。

俱樂部的媽媽桑問：「軒尼詩怎麼樣？」我認真回答：「我對那種洋妞沒興趣。」把她逗得笑翻了。

肚子餓了就請他們叫壽司或豬排飯給我吃。

只要付錢，他們什麼都肯做，畢竟是高級俱樂部。其他客人一定覺得很掃興，當下沒想到光是我們兩個就把整個氣氛搞砸了。

我一直很嚮往保時捷，所以錢一進來就去買了。

我抱著現金走進保時捷代理店，砰的一聲把一千多萬擺上去就想開保時捷回家，結果被代理店的人嘲笑。

「要先登記，取得牌照才能開喔。」

還說兩星後才能交車，我聽了沮喪得像個小孩。我錯把保時捷當玩具，以為付了錢就能帶走，但它卻在回家途中也不能開箱拿出來玩。

對於這輛保時捷，我有段這樣的回憶。

突然開上路時，我嚇了一跳。看不見保時捷了。

雖然等紅綠燈時，看到大廈玻璃帷幕映出自己開保時捷的模樣，心想「保時捷果然帥氣」也滿開心的。

但這種程度無法讓我滿足。於是我叫朋友來，把保時捷的車鑰匙交給他，拜託他開這輛保時捷上首都高速。

我搭計程車跟在他後面，眺望我的保時捷奔馳的帥勁。

我坐在計程車的副駕駛座，對司機說：「那輛保時捷不錯吧？那是我的。」

司機怔愣地問：「你為什麼不自己開？」

我回答：「笨蛋，我自己開就看不到保時捷了。」

把沒錢說成「下流社會」，為何沒人察覺這句話的低級？

以前不紅的時候，我曾在淺草撿別人掉的痔瘡栓劑回家，因為我的痔瘡也很嚴重。一邊把栓劑塞進屁股，一邊心想「我到底在幹什麼」，覺得很窩囊。

那起保時捷蠢事，說起來也是我對那個貧窮時代的復仇。

就像窮人家的小孩被帶來玩具國度，把錢當玩具玩。

我工作最拚的時期，一年能賺二十七億日圓。藝人一個月賺兩億，和買股票、炒地皮賺兩億不同，真的是身心都累癱了。更何況在我又窮又餓的時候，國稅局沒幫過我什麼忙，這回居然一副理所當然地抽走鉅額稅金。

國稅局至少要向我說聲「謝謝」吧？但至今我沒聽他們說過半句感謝的話。

我雖然很會亂花錢，卻不曾因為錢而受大傷，這都多虧了我老婆。從領薪水袋的時期開始，我就不會看裡面有多少錢，把整個薪水袋交給老婆。

所以不是我在自誇，我到現在都還不知道自己賺多少，每個月花的都是老婆給的零用錢。雖然是小時候的我可能會嚇到下巴掉下來的金額，但我吃喝玩樂的花費還是控制在零用錢的範圍內。

雖然以前也曾被老婆說：「你上個月沒怎麼工作喔。」氣得我大發雷霆。不過，這種領零用錢過日子的方式還是比較適合我。

女人和男人不同，不會把錢當玩具，所以在不知不覺中，我老婆竟然存錢買了大樓。好幾次開車走在路上，經紀人指向路邊的大樓說：「那是北野武的大樓喔！」嚇了我一大跳。

或許我家比較特別，從小就受到嚴格的金錢教育。若為了錢的事反脣頂撞，一定會挨母親臭罵。

我的母親認為任誰都想要錢，但若被錢耍得團團轉，人不曉得會低級到什麼地步。說這是窮人的逞強也沒有錯，但我不討厭這種自尊心。

人必須殺生才能存活，不做愛就無法生小孩，每天早上也都得大便。而活下去需要錢。

我說「想要錢」這種理所當然的話，就跟說我喜歡大便一樣。人不管再怎麼裝模作樣，剝掉那層皮就如同各種欲望的綜合體。不過正因如此，更須重視這層皮的尊嚴。這就是文化吧。

把沒錢說成「下流社會」，為什麼世人沒有察覺這句話有多低級呢？市面上居然有什麼靠年收三百萬過日子的暢銷書。以前的武士即使沒錢吃飯，也要裝模作樣地用牙籤剔牙，這種人窮志不短的氣概到哪裡去了？一心想裝有錢人，看到名牌包大拍賣就眼睛一亮，再也沒人取笑這種膚淺了嗎？

我家以前很窮，但母親絕對不會去商店街正在做拍賣的店家排隊。無論再遠，她都會去光顧重視客人每一分錢的店家。

她無法忍受買東西時，店家擺出一副「拿去吧，小偷」的嘴臉。

以前大家都有這種共同的認知，所以我將計就計，把它拿來當笑話講。「只要我賺大錢，只要我幸福就好了，才不管別人怎麼樣。」受訪時我這麼說，以前的記者哈哈大笑。因為大家都覺得不必把話說得這麼白，所以笑得出來。

不過到了最近，搞不好會有記者一臉冷淡地說：「哦，這樣啊。」咦，這位記者該不會真以為我會這麼想吧？現在的笑話就是這樣，無論說什麼都得訂正，真讓人無力。

到了連這種事都不能當笑話講的時代，實在太寂寞了。

「錢買不到友情」也是同樣的道理。

不是想用錢買的態度錯了，而是完全沒搞懂友情的意義。

友情當然不能用錢買，因為這種東西打從一開始就不存在。沒有的東西怎麼買得到？

「你有困難，我一定會幫你。我有困難的時候，你也要幫我。我們是好朋友。」

這才不是友情。

這和黑道兄弟喝交杯酒一樣，單純只是互做保證。保證越大、越多越好，所以黑道會儘可能增加小弟。

可是兩三人互做保證根本沒用，一定會有人吃虧。不過和人當朋友，一開始就要有吃虧的心理準備。創造美好回憶的方法，就是確實給對方添麻煩。

「你有困難的話，我隨時會幫你。不過我有困難的時候，我絕對不會出現在你眼前。」

這才是正確的。當彼此都能這麼想，友情便得以成立。

「以前我那麼幫你，為什麼這次你不幫我？」若這麼想，兩人的關係打從一開始就不是友情。自己真的有困難時，不想給朋友添麻煩才是真正的友情吧。

總之，友情是單方面為對方付出，而不是從對方那裡得到什麼。友情是自己對對方的感情。

想從友情裡獲得什麼，這種想法本來就是錯的。

若以利害得失來衡量友情，那就只有虧損而已。

因為很喜歡那個人，所以一得知他有困難就想幫他。

這種心情用「買得到」或「買不到」來形容，本身就很奇怪。

看看四周，若能想到一個這樣的朋友就很幸福了。

打個奇怪的比方，我認為比起好幾個願意為自己而死的人，若能有一個你願意為他賭上性命的朋友，生而為人就是幸福的。

朋友很重要，其實就是這個意思。

如此一想，我到底有幾個朋友呢？

藝人之間要當朋友很難。

歲數有點差距的前輩與後輩之間，總是會說「你們紅起來了，偶爾也請我吃頓飯吧」，或是一起喝酒。可是不差個五歲或十歲，很難形成這種關係。而且仔細想想，這種和我感情好的前輩大多已是「放棄之人」，放棄走紅的人。

以前有演藝場，可以讓藝人們混口飯吃，但這些前輩當中有好多人早已放棄上電視。這些前輩很疼愛初出茅廬的我們。

儘管是前輩，對已在電視上活躍的人而言，有前途的新人也宛如天敵。

他們心裡想的應該是：「你這小子，年紀輕輕的居然就這麼紅。我要擊垮你！」至於同世代的藝人，當然一開始就是競爭對手。

即便漫才和漫談很像，但就像足球和棒球不同，我對綾小路Kimimaro沒有燃起過競爭心。

儘管如此，作為同一個世代、同樣以新人之姿站上舞台的同好，我始終注意他的動向。即使電視工作忙翻天，幾乎無暇去淺草之後，偶爾也會想到：「綾小路不曉得過得怎麼樣？」這表示我打從心底肯定他的才華。

過了二十五年，綾小路Kimimaro這個名字在世間竄紅，雖然我一路下來掰了很多理由，不過坦白說，就算把這些理由通通抽掉，我還是覺得莫名開心。他真厲害，太好了。

這究竟是什麼心理狀態？

第四章
規矩的問題

唯有體貼者與被體貼者搭配得宜，規矩才得以成立。
倘若後輩察覺前輩要抽菸，上前點火是一種規矩，
那麼前輩若無其事地讓後輩點菸的體貼也是一種規矩。

藝人的任性

北野武和笑福亭鶴瓶曾在我的店裡意外碰頭。那時北野武在後面的房間喝酒，沒注意到鶴瓶來了，直到要回去時聽到鶴瓶的笑聲。

「咦，鶴瓶來了？」北野武問。我去向鶴瓶一說，他便衝過來：「啊，大哥！」兩人站著聊了一會兒，然後鶴瓶回座後，北野武要買單時說：「那一桌的我也先付。」就我的立場而言，沒徵得鶴瓶的同意不能收這個錢，否則事後會被鶴瓶罵。所以我跟北野武說，你就饒了我吧，結果他酷酷地說：「這是藝人的任性。」然後把錢放著就走了。

他沒問多少錢，沒問自己的帳單、也沒問鶴瓶的帳單多少錢，砰的放下一疊厚厚的鈔票就走了。

我覺得那時他的那句「這是藝人的任性」很可愛、很帥氣，也很瀟灑。

後來鶴瓶結帳時，我說：「其實北野武有留錢下來。」鶴瓶說：「他這樣我很傷腦筋吶。」不過當我跟鶴瓶說，北野武說這是藝人的任性，鶴瓶說：「這樣啊，那我改天回敬他。」便笑咪咪地走了。

沒有人受傷，沒有人難受，對雙方都是很愉快的事。這種低調的請客方式相當難得。這也是我記得的北野武軼事中，相當帥氣的一個。

還有一個記憶也相當深刻，但這說來有些難為情。

有一次北野武去上廁所很久沒出來，我擔心他不曉得怎麼了，前去一看，竟聽到叩咚叩咚的聲音。

原來北野武在洗馬桶。

這關係到本店名譽，所以我要聲明一下。我店裡的工作人員非常勤於洗馬桶，總是乾淨到令人佩服。這次是北野武進去前的客人弄髒了馬桶，而我們卻沒有察覺。當時我真的嚇出一身冷汗。

坦白說，馬桶髒了跟我們說一聲就好了嘛。

可是北野武不會跟任何人說，只是自己默默清洗。

（阿熊）

需要博愛座的可笑時代

洗馬桶是我的怪癖。

我對其他地方沒有特殊潔癖，唯獨無法忍受馬桶骯髒。無論在家或外面的店裡，看到馬桶髒就會自動清洗。

這也是受我母親的教育使然。

「看到骯髒的地方，隨時要清掃乾淨。一定要最留意不乾淨的東西。乾淨的東西可以弄髒，但已經變髒的東西不可以弄得更髒。」

這是以前母親講到嘴巴痠的話，至今仍縈繞在我耳畔。

而這也影響了我的工作，使我一直秉持著一種態度：可以把有權的上位者拉下來，但絕對不能欺負底層的可憐人。

我能雲淡風輕地說自己是笨蛋或窮人，是因為我不認為笨蛋和窮人有什麼錯。藝人在以前甚至被稱為「河原者[1]」，是社會最底層的人。因為處於社會最底層，所以能戲謔地笑看人間。

「那傢伙真蠢啊，那麼有錢，居然幹那種低俗的事。」

低俗的有錢人是絕佳笑料。

雖然一無所有，可是自尊尚存，搞笑便由此而生。我覺得最近這種搞笑越來越少，也因此變得越來越低級。

無論政治體制如何變化都能混飯吃，這就是藝人的志氣。

就算變成共產主義或獨裁政治，藝人都能跟著活下去。無論世間怎麼變化，藝人都能從容地活下去。因為藝人在體制之外。

所以藝人絕不會想當政治家。若有藝人想當政治家，那是他的自由，但當上政治家就不能說是藝人了。

---

1 又稱河原乞食，日本中世時期的一種賤民。

我覺得現今這個時代的趨勢，不單單只有搞笑技藝，所有好東西都被淘汰了，只留下低級的事物。

比方說「博愛座」這種東西的產生，本身就很可笑。看到老人家，年輕人起身讓位是天經地義的事。明明有人站得很辛苦，只因為自己坐的不是博愛座就不讓坐，這根本說不通。

既然是大眾運輸工具，當然全都是博愛座。

可是最近豈止博愛座，年輕人甚至若無其事地坐在車廂通道上，瞪視來往乘客。

流氓要使壞沒關係，但使壞也要有分寸吧。

不過把世間搞成流氓會對任何人使壞的，反倒是社會。以前就算是流氓，也有流氓像樣的規矩。現在的社會越來越低級，連流氓的規矩也走樣了。

我的北野武軍團也有不太懂規矩的人進來。畢竟有四十個年輕人，每個人的生長背景都不相同，這也無可奈何。

所謂規矩，追根究柢地說，就是對別人的體貼。

再怎麼明白具體的規矩，若沒有一份體貼別人的心便毫無意義。相反的，若不太懂規矩，只要能確實體貼別人，就不會偏離規矩太遠。

不長進的傢伙完全不懂這份體貼，腦袋裡壓根兒不認為行動時要考慮別人的感受。

叫這種人體貼很困難，就算明言要他考慮別人的心情也沒有用。

這種人要具體地教他規矩，讓他一次又一次地實踐。譬如看到有人掏菸叼在嘴上，要立即上前為他點火，並遞上菸灰缸。奇妙的是，像這樣一個個規矩逼他身體力行，時間久了，不知不覺他也能擁有體貼之心。

這說明了規矩的極致表現雖是內在的體貼，但也可以由外向內加以培養，藉由不斷地訓練，自然而然養成體貼之心。這也是規矩的意義所在。

用頭腦思考固然重要，但確實實踐規矩又是另一回事。

以棒球來說，光是練習而不參加比賽，這樣的隊伍不可能會強。藝人也是，勝負取決於在觀眾面前表演的次數。光是兩個人練漫才，無論怎麼練也抵不過在一或兩個觀眾的面前表演。

因此規矩也是實踐越多次的人贏。

基本上，規矩的形式也是從歷史而來。

比方說不可以踩在榻榻米的邊緣上，是因為以前刀子可能會從榻榻米間的縫隙刺上來。規矩原本與其說是規矩，更可說是護身的生存技術。即使不知道這項技術何時成為規矩，也忘了它的原意，依然流傳至今。坐在榻榻米上行禮時，要用三隻手指抵著榻榻米，這在以前也有確實的理由。我認為這種規矩流傳下來有其意義。

然而這種規矩，近來逐漸被速食店的對應守則所取代。但這種對應守則既沒有對人的體貼，也非生存技術，只是為了賣更多東西，在短時間內有效率地打發客人。

「歡迎光臨！現在A餐有特價，要不要來一份？」

店員在按表操課地把台詞說完之前，不會聽客人說話。

「還有限時推出的芒果汁，要不要來一杯？」

「不，不用。」

「那柳橙汁呢？」

「不用，我只要漢堡……」

「現在加五十圓就多一個蘋果派，要不要來一個？」

「不用，我只要一個漢堡。」

「好的，一個漢堡就好嗎？」

「你要我說幾次，我只要一個漢堡！」

這看似和規矩很像，其實似是而非，本質上與規矩背道而馳。

因為沒有心，再怎麼說「歡迎光臨」或「謝謝光臨」，客人都不會有感覺，只覺得像機器人在打招呼。

然而這就是現在的普遍現象。世間充斥似是而非的規矩，因此人心也不知不覺越來越暴戾。

沒有話不投機，只有太笨不懂引導

有趣的是，被體貼的一方也有其規矩。

體貼者與被體貼者。

唯有雙方搭配得宜，規矩才得以成立。

比方說前輩叼起了菸，後輩在一旁準備點火。這時前輩必須留意後輩的動靜。

但不知趣的傢伙總是搞不清楚狀況。後輩已在一旁擺出點火柴的姿勢，他卻轉到另一邊講話，結果後輩沒點到菸，反而燙傷了自己的手指。

不僅後輩要給前輩面子，前輩也要巧妙地給後輩做足面子。這樣雙方才能相處融洽。

倘若後輩察覺前輩要抽菸，上前點火是一種規矩，那麼前輩若無其事地讓後輩點菸的體貼也是一種規矩。

說到規矩，世人立即想到餐桌禮儀。

都是一把年紀的大人了，千萬不可被這種事迷惑。

總之不習慣刀叉的話，用筷子就好。餐廳若沒提供筷子，那是餐廳的錯。越好的餐廳越懂得體貼客人。都二十一世紀了，即便是法國的米其林三星餐廳也一定會準備筷子。

說到米其林三星餐廳，我偶爾也會帶新人去不適合的餐廳。

在我還是新人時，師父們也曾說「讓你吃點好吃的」，帶我去不合身分的高級料理店。

這時，通曉人情世故的人會不動聲色地觀察情況，看出我待得很痛苦，便巧妙地袒護我。

袒護的方式因人而異，譬如明明是自己喜歡且常去的店，卻滿不在乎地出言抱怨：

「這家店淨想著給客人吃貴的東西。」

說得像沒水準的大叔，自己當起小丑，把店的等級拉低到新人的水平。

「你別瞧那個廚師一臉跩樣，其實以前是擺路邊攤的。」

師父嘴巴上這麼說，事後一定會偷偷去跟店老闆道歉。

「前陣子對不起喔，因為那個年輕人不習慣這種店。」

比起熟悉餐桌禮儀的人，和這種通曉人情世故的人在一起心情會比較好，而且感覺有品多了。

體貼別人還有一點很重要，那就是傾聽別人說話。

人上了年紀後，不知為何會變得不太聽人說話，反倒愛提自己的當年勇。可是當年勇根本一文不值，還會破壞現場氣氛。若聽過別人炫耀自己的事，應該很能明白這一點。

比起自我炫耀，聽對方說話要好得太多。

遇到廚師就問料理的事，遇到司機問車子的事，遇到和尚就談另一個世界的事，什麼都好，就是不要不懂裝懂，只要坦率誠懇地傾聽。比起炫耀自己有多厲害，不如多聽別人說，如此一來世界就會遼闊起來，氣氛也會變得愉快。

吃壽司時為什麼要從白肉魚吃起？為什麼不能用醋飯去沾醬油，要用魚肉去沾？坦白說這些根本不重要。我認為起身離席能說聲「感謝招待，今天真的學到很多」，才是壽司店最重要的規矩。

拍古裝電影時，為演員梳假髮的專家稱為「床山」。

你若問他：「梳這種島田髻的通常是哪些人？」他會回答「年輕女子」或「人妻不會梳這種頭」。就算已經知道，也要如此問問看，因為專家一定會連你不知道的都告訴你。

就像挖井也要引水，水才會湧出來，與人交談也需要拋磚引玉。

無論對葡萄酒有多熟，都不能對侍酒師高談闊論，因為這麼一來，侍酒師就不會告訴你重要的事。你應該用問的：「這瓶紅酒為什麼這麼好喝？」

當你和老人家喝茶，若問：「爺爺，這只茶碗有何來歷？」他可能會回答：「我也不太清楚吶，只是一直用著。」即使只是這樣也可以聊上一小時。只要有個開端，就能聽到意想不到的事。對方心情會變好，我們也能知道不知道的事。

會覺得和老人家聊天很無聊，只是因為沒能力引出老人家的知識。縱使對方是小學生，也能很有話聊。

你只要問小學生：「算術在學什麼呢？」他一定會回答你。就算是小學程度的算術，大人也會覺得相當困難，因此可以一起思考同一個問題。

像這樣不斷地引導，就可以引出很多話題。說世代不同話不投機，其實是錯的。不是話不投機，而是自己太笨引不出話題。

在追求女人的男人旁，不可以聊猥褻的事

以前有個老爹帶我去銀座。

下車後泊車小弟走過來，我便從錢包掏出小費給他。

後來進了電梯，老爹責備我：

「小武，錢不能那樣給啦。」

我不懂這句話的意思，「啊？」地反問。

「你要知道，你是藝人吧，而且是知名的公眾人物。大家都在看你喔。你在眾目睽睽之下給小費，讓泊車小弟多難堪啊。應該趁沒人注意的時候，若無其事地遞給他。」

被他這麼一說，我羞得滿臉通紅。

我的恩師深見先生也教過我很多事。

當他說：「喂，小武，去吃壽司吧。」店裡若有一個大叔和兩個年輕人，在當時會各給一萬圓小費。那個時代，我和師父兩人吃握壽司再怎麼吃也不會超過一萬圓，小費竟然就給到三萬。而且不是師父自己付，是快要離開時，師父把錢包交給我，讓我去付錢。

付錢也要講究時機。

若師父才要起身離席就付錢，壽司店老闆當然會致謝：「師父，感謝您的小費。」

這樣我就會挨罵。

「別讓對方向我道謝啦，我討厭這種事。等我走出店外，你再去付錢。」

這是師父的教誨。

和師父變熟之後，有時我開口邀約：「師父，要不要去吃壽司？」他會搖頭說：

「我不去。」

「為什麼？」

「沒錢付小費啦。」

不是沒錢付壽司錢，而是沒錢付小費。雖然身上有一萬圓，但沒有三萬圓付小費。師父的作風向來如此，所以沒錢付小費，他就不去吃壽司了。

我覺得師父帥呆了。雖然不是會在電視裡露臉的藝人，但不愧是淺草的深見大師。這種事發生過好幾次。

他畢竟有自己的劇團，也常做全國性巡迴演出，當然是個正派的老實人，但也有些黑道性格。該怎麼說呢？就是很有骨氣，卻非常害羞。

看起來帥氣又深諳大人規矩的人，通常都害羞靦腆。

有一次我和師父上淺草的酒店，一位酒店小姐向師父要生日禮物。師父氣呼呼地大罵：「為什麼妳生日，我就得買生日禮物給妳？別鬧了，混蛋！」

可是第二天，師父卻拿錢給我。

「喂，小武，你去松屋行買個女用錢包回來。要買好的喔。」

我照師父說的去買錢包回來，他往錢包裡塞了十萬圓說：「送去給那個小姐。」

我送去之後，小姐大吃一驚：「咦，為什麼？他昨天還那麼生氣。」十萬圓在當時是筆不小的數目，那位小姐後來打了好幾次電話去師父的後台休息室，但師父打死不肯接。

「那個小姐打了好幾次電話來，您要不要去她店裡坐坐啊？」

「怎麼可以去？我可是有給她小費喔。要是去了，她一定會想說果然來了嘛。這麼丟臉的事，我怎麼做得出來？混蛋！」

師父就是這種人。

然而在這方面，我倒不是好徒弟。

這幾乎已經成為笑梗了。有一次，我帶小姐去西麻布的鱉料理店。我和她雖然不是那種關係，但帶去那種地方喝酒會變成那種關係，所以我就帶她去了。

喝了美酒、吃了鱉料理，話題也歪到那個方向之際，坐在旁邊的大叔們竟說起「我跟那個女人搞的時候啊」，一股勁地聊著猥褻的事。

我逼不得已，只好淨說「電影這種東西啊」之類的話，完全無法展開追求攻勢，最後只能說句「路上小心喔」，然後給錢讓她坐計程車離開。那時我真的氣壞了。

中學時，有個很漂亮的女生搬來我家附近。她養了一隻德國牧羊犬的幼犬，為了和她拉近關係，我也去撿了一隻狗回來，算準她外出遛狗的時間帶狗出去。我擬的作戰計畫是先以同為愛狗人士的身分和她拉近關係，再藉機和她聊天。

不料我的狗忽然從背後騎上那隻牧羊犬，讓我的意圖變得顯而易見。還沒找到機會跟她說「妳的狗好漂亮」，我的狗已經在扭動腰部。我的狗和我抱著同樣的心情。那個女孩立刻抱起小狗，逃之夭夭。

不可以在拚命求愛的傢伙旁露出那種意圖，或是做出露骨的事。不過這與其說是規矩，更是我的希望就是了。

不可原諒的是，一起喝酒時說「武哥是好人吧」的女人。

我就是想當壞人、過分的人才找妳出來。被這麼一說，我就只能好人當到底。

臨別之際，女人還補上一刀。

「下次有事，你要再給我出主意喔。」

「混蛋！妳想找我商量，但我可完全不想聽！」

偏偏我又不能這麼說，只能無奈地說：「沒問題。路上小心。」揮手送她離去。這種男人的辛酸，她能懂嗎？

不，我想她懂吧。可是懂歸懂，還是會說「你是好人」，女人就是這麼回事。

不過，男人為什麼如此好色呢？

從搖籃到墳墓，男人一輩子都在想這種事。要怎麼做才有女人緣？或者更進一步說，要怎麼追到更美的美女？這是男人最關心的事。我不敢說百分之百，但一定有百分之九十九。

我很能體會雄性鳥類或野獸到了繁殖期，為了追求雌性那種拚死拚活的努力。有的嘎嘎鳴叫，有的變換羽毛色彩，有的跳起奇妙的舞，搞不好還會跟其他雄性決一死戰，使出渾身解數吸引雌性，可是雌性卻雙翅一振就飛走了。雌性跑掉的那個瞬間，雄性就像被彈弓打到的鴿子，整個怔住了，顯得悲傷淒涼。我真的能感同身受。

說笨是很笨沒錯，不過男人天生如此。就算被說都年紀一大把了，但唯獨對這件事就是沒輒。

男人真是悲哀的生物。

這種感覺女人可能永遠都不會懂吧。就這個部分來說，男女是截然不同的生物。男女之間橫亙著一條又深又暗的河。

說得帥氣一點，男女之間最重要的規矩，就是理解到對方是另一種不同的生物。

壯陽劑這種東西的存在，就象徵著男人的悲哀。即使身體不聽使喚，腦袋也想做得要命，因此才會出現壯陽劑。這實在很奇怪。

照理說，應該配合身體狀況才對。既然身體說不想做，那就別做。其實最好的藥是解除這種欲望的藥吧。身體樂得輕鬆，也不用浪費金錢與時間。為什麼不發明會對女人不感興趣的藥呢？

其實我很清楚為什麼。

因為這種藥發明了也沒人要吃。

男人坐在酒吧的吧台喝酒，找鄰座的女客搭訕是很常見的事。劇場裡也有這種傢伙，他們會跟鄰座女生說「這個藝人很有趣」或是「妳打哪兒來的？看完表演去喝杯咖啡吧」。

我在舞台上表演漫才，有時也會看到。

觀眾總認為自己看著藝人，藝人不會看到自己。不過仔細想想就知道，你既然看得見我，就表示我也看得見你。有人在打哈欠，有人在吃便當，有人手牽著手……全部都看得到。那真是太好笑了。

我很想臭罵：「你這混蛋，別拿我的搞笑追女人！」

我認為這也可以算是一種規矩：不可以在觀眾席吃煎餅。吃煎餅的聲音會害人分心，實在很難演下去。

還有不該笑的地方不可以笑。毀掉一個藝人最好的方法，就是觀眾席上惡意的笑。

或許有觀眾會說：

「我是付錢來的，要什麼時候笑是我的自由。」

但這等同殺了藝人。

年輕女子莫名其妙的笑聲可能會毀了一個年輕漫才師。起初是很有趣的藝人，才剛有了些人氣就變得越來越無趣，那是因為一站上舞台，觀眾席便沸騰起來，使他會錯意而導致技藝停滯不前。

據說擊垮對手的最佳方法，就是不管三七二十一亂誇一通。這是同樣的道理。

想殺藝人不需用槍，只要有愚蠢的觀眾就行。

不好笑就不笑。

這也是身為觀眾的重要規矩。

真正的規矩不是循規蹈矩地強制學來的。

至少對男人而言，規矩就像我從深見先生身上感受到的，是某種憧憬、也是「那時他真帥氣」的記憶。

身邊若有這種人，不需被迫學習也會想模仿。無論吃壽司或喝酒的方式，我以前都是靠模仿帥氣大人而學會的。

如此一想，老人家碎唸「現在的年輕人沒規矩」，或許就形同自打嘴巴。

年輕人沒規矩，是因為沒有可以當榜樣的大人。

我在前面也提過，以前就連北千住的小酒館也有帥氣的人。

下工後的木匠師傅隨意走進小酒館，說聲「來一壺酒」，便自己將酒斟入小酒杯中一口飲盡，讚嘆般地低語：「啊，讚！」他可能每天都喝吧，所以喝酒的方式也很洗鍊，不僅說讚的表情，就連把小酒杯放回桌上的姿勢都有模有樣。

他喝的可能是便宜的劣酒，不過真的喝得津津有味，看得我都想跟老闆說：「也給我來瓶溫酒。」雖然木匠師傅只是啃著小黃瓜和店老闆聊天，說什麼「今天工地真的很慘啊」，不過那模樣真是帥到不行。

靠體力過活的工匠生存方式，全都濃縮在喝酒的模樣裡。看到那副模樣，根本不需要再學喝酒的規矩。

說到喝酒方式，老一輩的應該比較在行。

這種事他們不會輸給年輕人，畢竟酒齡資深，不曉得喝過幾千次了。但也因為資深，就如前面提過的，和年輕人喝酒時，老一輩反而要體貼年輕人。

大概是去年吧，我和志村健喝酒時就很有趣。

那時有個年輕的喜劇演員也一起喝，不曉得是不是找不到話題，居然說：「師父，您有點發福了。」我當下酒杯一放：

「什麼？混蛋！你剛才說什麼？是在說我胖嗎？」

志村健見狀，便加碼和我聯手消遣他。

「我們可不像你們這種窮光蛋，肚子扁到凹進去。也不想想我們為這個肚子花了幾十億，連肝臟都壞得沒救了。」

又是端架子又是惹人發笑，讓年輕人覺得「這些師父真是無可救藥」，這時就能清楚地看出他緊張的情緒緩和了些。這既是體貼，也是令對方心情愉快的長者規矩。

絕對不能劈頭就嗆：「怎樣？我的酒不能喝嗎？」否則儘管那個年輕喜劇演員表面冷靜，夾在我和志村健中間一定很不是滋味。

到這裡才終於能說「好了啦，喝酒」，對方也回說「哦，謝謝」，然後就喝開了。

身為前輩，不管發飆或發牢騷都要能把氣氛圓回來。因為一發飆對方就會「沉下去」，一定要再把他「撈上來」才能收場。

「你的漫才說得太爛了，實在聽不下去，真是笨到家了。前陣子我不由得偷了你的梗。」

「啊？你說我很爛，還不是偷了我的梗。」

要像這樣有貶有褒，把該傳達的事傳達出去。若一味貶抑和說教，就只會變成討人厭的前輩。

因此就算是喝酒時，長者也要有長者的體貼。

老人家常說「最近的年輕人不懂規矩」，我覺得不盡然如此。年輕人和老人家只是一種區別方式，無論年輕人或老人家裡，都有一定比例不懂規矩的人存在。

既然如此，為何老人家總居高臨下地批評年輕人不長進？被年輕人吐槽不長進的那些老人，說不定就是我們這個世代。

資訊數據化讓人們智力低落

雖說上了年紀的人，萬萬不可錯以為有對年輕人發牢騷的特權，但我看到近來年輕人的行事風格，總覺得再這樣下去會有點危險。

因為作為規矩前提的智力越來越低落了。

有人說這世上沒有錢買不到的東西。

有人對於上電視高談闊論的知識份子們狂妄自大的吵吵嚷嚷很不以為然，但我並不這麼想。

那不是狂妄自大，而是一種真實。

對他們來說，世界就是這樣。

說這種話的人只活在用錢能購買東西、用錢能解決問題的世界裡。沒有錢買不到的東西，這對他們來說就是真理。

即使對中學生說「愛馬仕的包包和你不搭」，只要本人認為很搭就沒什麼好說的了。對這個中學生而言，愛馬仕包包是付錢就能買到的東西吧。

對認為愛情和友情可以用錢買的人說，他買到的不是愛情或友情也沒有意義，因為他只能看到用錢買來的愛情或友情，而且用錢買來的愛情或友情就能滿足他。

他們關在自己所知的世界裡，否定外在的世界。就如你跟御宅族說：「別關在那種無聊的世界裡，去看看外面遼闊的世界吧。」他不會理你是一樣的。對一個會說「世上沒有錢買不到的東西」的人，你就算跟他說這是錯的也沒有用。

對我來說，我只認為這種人的腦筋很差。

以前就有很多眼裡只有錢的人。

讓我覺得可悲的是，世人居然認同這種人說的話。是嗎？有錢什麼都買得到嗎？

這表示世人的智力低落。

突然拿噴霧器噴了路人就跑，或是意圖不明的奇怪事件越來越多，我想都是這個緣故吧。

常聽人說ＩＴ將世界串連起來，使人與人之間的溝通更進步、更豐富了。這根本是個謊言。受到全新科技恩惠最多的年輕人們只是越來越孤獨。

拿噴霧器噴路人會覺得高興的傢伙，想必也很孤獨吧。

或許有人會說：「不會喔，我有很多朋友可以傳簡訊。」這就是現代年輕人的平均樣貌。

當面與人交談或寫信這種行為，越是被手機或簡訊等資訊科技取代，溝通就越加稀薄。

網路很方便，但也有其陷阱。

明明要爬山卻搭直升機去山頂，一點意思也沒有。

同樣的道理，買書與其上網買，更應該去書店走走。書店裡有無聊的書，也有不想買的書。去那裡實際走走看看很重要。

就算已經有想買的書，去了書店也可能會買另一本，而這本書卻意外地有用。買葡萄酒也是，上網一查馬上就知道哪一瓶好，但若不親自去也擺著劣酒的酒鋪看看，終究還是不懂葡萄酒。

我是不懂電話線或光纖什麼的，不過為什麼靠那種東西就能交換大量資訊？因為所有資訊都被數據化了。

或許你會認為，人類文明真是進步啊。但這不是高興的時候。

所謂數據化，是以0101的二進法來呈現現實事物的技術。不管是鳥啼聲或日出，都能置換成0和1兩個數字。

也就是說，這是一種將事物單純化的技術。所以原本的事物和經過數據處理後的影像或聲音之間，當然有驚人的資訊量差距。

ＣＤ或其他東西也是如此，不僅將資訊數據化，還把人類無法覺知領域的資訊也切除得一乾二淨。譬如人類耳朵聽不到的某些頻率的聲音，只因為資訊量過大就把它們切除，認為它們是不必要的。人類只是還不能辨識這些聲音，難道就能斷定真的沒聽到嗎？

聽音樂還是聽現場演奏最好，因為那些聽不到的微妙聲音在現場才可能聽得到。

即使不是現場演奏的音樂，很多音樂愛好者也說以前的黑膠唱片比ＣＤ好太多。這也是因為黑膠唱片保留了許多ＣＤ切掉的，人類還未能辨識的領域裡的聲音。

最近的數位相機以資訊量而言，就連以前的針孔相機都比不上。五千萬畫素的照片就只有五千萬個資訊，而以針孔相機拍的照片資訊量卻幾近無限。

「因為把人聽不到聲音都切除了，所以像火柴盒那麼小的機器可以放幾千首曲子。針孔相機拍一張照片，要花幾十分鐘吧？數位相機很方便，所以我用它。」

要這麼說的話，我也無話可說。

但因為貪圖這種方便，世上的一切表現都變得淺薄了，這也是不可動搖的事實。

假設這裡有一隻果蠅的腳，不管把顯微鏡的倍率調得多高，依然還有更細微的構造世界；而無論高畫質影像有多麼鮮明，一旦放大就只是點與點的集合。

果蠅和高畫質屬於截然不同的世界。

現在的年輕人是否真正明白這之間的不同呢？

集合全人類才智，只為讓大腦退化

我常去逛書店。曾在某間書店，被同一位歐巴桑搭話三次。

有一次我在找一本書，那位歐巴桑拍我的肩說：

「北野武，你一個月沒來了。」

然後像是我們之間的祕密一般，小聲地說：「我是負責抓扒手的。」

那天下雨，這位歐巴桑確實拿著傘，以一副普通客人模樣在店裡來回走動。

過了一年左右，這回是炎熱的夏季。

同一位歐巴桑又忽然來到我旁邊，向我打招呼：「你好，好久不見。」

這次她提著購物籃，裝成順路來逛書店的歐巴桑。

然後第三次，歐巴桑一臉落寞地跟我說：

「北野武，我這個月就要離職了。謝謝你一直以來的照顧。」

謝什麼啊，我哪有照顧她？聽得我一頭霧水。

明明三年內只說過三次話。在書店遇見負責抓扒手的監視員，跟我說了一聲「你常來喔」，故事就這樣開始，然後經過「好久不見啊」，這回以「我要辭職了」結尾。開頭、經過、結尾都具備，可以是一齣戲了。

我常在想，這可以是一部電影的靈感。

不用拍得太長，以三個十五秒的片段勾勒出這位歐巴桑的人生片斷。

這種事也是在網路書店體驗不到的。

雖然不是什麼大不了的事，但這種事會意外引發人生感觸。只是坐在電腦前，絕不會有這種經驗。

手寫信除了內容，還會蘊含感情。即使不明寫，也能傳達出生氣或喜歡的情緒，而讀信的人也能從信中看出寫信者的頭腦和教養，甚至連性格也能看出端倪。

簡單地說，手寫信是有個性的。

換成手機簡訊的話，這種個性或微妙的差異就消失了。在那麼小的螢幕裡，以標準化的文字幾乎無法傳達言外之意。

「並不會喔，還可以用表情符號傳達心情。」

打從出生以來就習慣手機簡訊的年輕人可能會這麼說。不過手機裡的感情表達，頂多是寫句「我生氣了喔」，然後加個笑臉表情符號吧。

更何況無論再怎麼挑選新的表情符號，轉眼間就會傳開，讓全日本的年輕人群起效尤。

雖說文化是一種模仿，但若以類比的方式去模仿，無論是繪畫或文章都無法做到完全一樣。完美的模仿極其困難，因此有「仿作天才」一詞。但模仿得再相像也有微妙的不同，也因為這種不同，在模仿其他作家時才可能展現自我個性。

但數位世界裡的模仿，完美的複製方法很簡單，只需要複製、貼上兩個動作。因此正確地說，這並非模仿而是剪貼。因為和原來的一模一樣，所以也沒有變化。

因此簡訊世界裡不僅文字，就連個人的感情表達都像流行T恤的圖案那樣被統一了。

當然那畢竟是人做的事，不可能完全一致。我知道孩子們為了展現自己的個性或感情，也動腦筋下了不少工夫。可是這種智慧與工夫，充其量只是小小的手機簡訊螢幕範圍裡的事，微妙的感情和複雜的思考，被置換成簡單易懂的感情與思考。

切除耳朵聽不到的聲音，這種事也在這裡發生。

若有孩子認為用簡訊就能充分表達自己的感情，那反而更恐怖。這和前面提到的眼裡只有錢是同樣的道理，他只知道簡訊所能傳達的單純而單一的感情。

其實說這種話的年輕人下意識也感到焦慮吧。

所以才會一直緊抓著簡訊不放，認為簡訊沒有充分傳達自己的思緒或對方的感情，因為傳達得不夠充分，所以又發一則簡訊。但無論發再多簡訊，也無法填滿這個隙縫。

因為人的感情比0和1的二進位系統複雜得多。

就像將CG圖片放大，只看得到點與點的集合；只用簡訊互傳，空隙也只會越傳越大。因為看不見隙縫裡的感情而越來越不安，覺得自己被排擠在外，於是又猛傳簡訊。

這簡直像掉進了無底洞。

在我們那個世代，解決這種事很簡單。

直接面對面談就好了。

不爽的話，打一架就是了。

既然喜歡，為什麼不牽手？

即使是一記拳頭、一個擁抱，都比千則簡訊能傳達更多事情。

別說傳簡訊了，人就是一種無論怎麼當面談都無法互相理解的生物。若以血肉之軀互打、徹底爭論依然無法理解，那就放棄吧。人本來就無法輕易地互相理解。

說不堪還真是不堪，不過偶爾也會有因此互相瞭解的情況發生。真正的友情就是這樣建立起來的。所以朋友才會那麼難能可貴。

現在的年輕人可能不太知道這種交往方式。不，或許不是不知道，只是嫌這種滿身臭汗的交往方式太麻煩。

然而就是因為只會發陳腐的簡訊說：「我明白這種心情！」便自以為能互相瞭解，才會在忽然落單時煩惱沒人真正瞭解自己吧。真是笨得可以。

老是逃避麻煩的事會讓人變笨，能讓大腦靈活起來的正是麻煩的事。

這是一種文明的悖論。

想想電子計算機就能明白。

那麼小的機器居然能從四則運算算到微積分，牛頓看到八成會嚇破膽吧。因為自己耗費一生才解出來的問題，竟然敲敲按鍵就出來了。

不過這也是理所當然的事。那個小盒子是人類幾千年才智與汗水的結晶。那台小小機器的問世，不曉得是多少人解決了多少麻煩的工作才累積出的成果。

若把這些麻煩的工作，例如液晶啦塑膠啦各種零件從頭開始寫，可能幾十本書也說明不完。然而就是這無數的麻煩工作，使得人類智慧發達起來。

因此電子計算機也可說是麻煩的化身。

可是用起來倒是相當簡單。

然而用了這台滿載人類才智的機器，人就越來越有智慧了嗎？並沒有，反倒越來越笨。因為麻煩的事全交給機器去做。

有了計算機和電腦後，人們開始嚷嚷小孩的計算能力變差。集結人類才智發明出的機器竟讓人類大腦退化，這真是一大悖論。

仔細想想，這也不是現在才發生的事。汽車普及後，人的腿力變差了；槍枝傳入後，弓箭高手變少了。

工具帶來的便利，也確實讓人類的能力退化。

換言之，這就是文明背負的病因。

「感覺甜甜的」，虛假的形容詞正四處蔓延

我曾和宮殿木匠小川三夫先生聊過天。他是奈良法隆寺家傳十幾代的木

匠西岡常一師傅最後的弟子。

這位西岡先生以現代標準來說是神級的高人，留下許多軼事。他修復的藥師寺西塔塔簷比東塔高了一點點，問他為什麼高度不同，他說：「木頭會收縮，幾十年後高度就齊了。」他認為用了樹齡千年的樹木，就要蓋出能保存千年的建築物。

而他的弟子小川先生則創立宮殿木建築公司「鵤工舍」，培育後繼弟子。

從刨刀開始就很厲害。

刨刀在檜木角材上以手指輕輕一推，咻地便刮出一片刨花，纖細得令人感動，薄到連對面也通透可見。

接下來的事可想而知。光是一片刨花，我這個外行人也能立刻明白前人傳下來的技術有多驚人。

後來知道弟子入門後，第一年的工作就是一直磨這把刨刀，我才恍然大悟，怪不得這麼厲害。能完美地打磨刨刀刀刃後，師傅才會教弟子使用刨刀。我猜能把刨刀刀刃磨到完美時，其實不用教也已學會刨刀的基本用法了吧。

教弟子理論之前，先讓他們用身體去磨練。以前在教工具的用法時或多或少都會這麼做。當工具能像自己的手腳般運用自如時，工具才能真正成為工具。工具是人手腳的延伸，以前確實有這種想法。

所以人不會被自己的工具耍得團團轉。

然而這種教育體系，現在幾乎蕩然無存。

因此，現代人才會被工具耍得團團轉。

新的工具以這種荒唐的氣勢問世，或許也是無可奈何。

畢竟在給他手機之前，不能叫他先磨練一年再用。而且一年後，這支手機也成為上個世紀的遺物了。

新的工具猶如打地鼠般相繼出現。

更何況以前的工具宛如手腳的延伸，必須自己動腦才能靈活運用，但近來的工具連腦的功能也全包了，即使頭腦痴呆也能使用。畢竟連猴子都會用電腦了。

於是以前職人最瞧不起的、被工具掌控的人越來越多。

拿我剛才狠狠批評的簡訊來說，若能明白這個工具的長處與限制，像宮殿木匠的刨刀那般靈活運用，或許會成為有用的工具。

然而實際上卻只是被簡訊牽著鼻子走。

簡訊普及後，年輕人的思考迴路也拉低到簡訊的層級。現在的年輕人不是思索後才寫簡訊，而是只思考簡訊能寫的東西。

網路上有好幾個粉絲替我做的網頁。我很好奇他們在聊些什麼，時而會去留言板偷看。

有一次，上面寫的與事實相去太遠，於是我上去留了「其實是這樣」的話，署名「北野武」。

結果被留言板的人群起圍剿，說什麼「你這個大混蛋！居然假冒本人！」還有人說：「我認識北野武，他不會這樣想事情。」

被罵成大騙子，我趕緊逃了出來。

他們可能沒料到本人會去粉絲網頁留言吧。儘管如此也太可怕了。如果這是手寫信，從筆跡和行文或許還有餘地悟出：「莫非是本人？」總之，用簡訊寫文章就是如此。

著迷於這種東西，腦袋也會變得粗淺草率。

用「好像」、「感覺」來形容事物就是最好的象徵。

因為思考迴路變得粗淺草率，表達能力下降，沒自信能將自己的意思傳達給對方才會這麼形容。

即使說「感覺甜甜的」，甜的範圍也很廣。

有隱隱約約的甜，也有強烈如糖精的甜。

各種甜都以「感覺甜甜的」打發掉，不做細膩的表現。現今社會就蔓延著這種敷衍虛晃，不去追根究柢，也不細細尋思。

簡訊的字數通常無法寫多，容易造成對方誤解，因此才用這種敷衍的表現來尋求對方的共鳴，認為只要用「好像什麼」去形容，把內容交給對方去想像，就不會造成對立。

而且這種現象不僅出現在文字書寫上，也在口語中廣為使用。這表示人們的思考方式也簡訊化了。

雖說語言會隨著時代變化，也有語言學者說，我們現在使用的語言也曾是以前的流行語。這話或許沒錯，但我覺得問題的核心不在這裡。

基本上無論文學或繪畫，藝術就是把這種「好像什麼」的部分具體地呈現出來。

高中女生用一句話解決的「好像紅通通的夕陽」，畫家則要費盡心力呈現出這種夕陽的顏色。把自己經歷過的「好像什麼」表現出來才是藝術。

三島由紀夫絕不會凡事都以「好像什麼」交代過去，而是針對那個「好像什麼」的部份不斷去做描寫。

若凡事都以「好像什麼」打發過去，就無法創造像樣的藝術。

不是「好像很為難」，而是要具體寫出如何為難。但這種思考形態，果然跟簡訊不搭吧。

我認為這不單純是流行語，「好像什麼」這種形容方式背後牽扯的問題是思考能力退化。

以前去歐洲要搭好幾個月的船，現在只要花幾萬塊買張便宜的機票，半天就能抵達。即使是住在地球另一端的人，也可以用手機和他通話。只要上網，便可獲得幾百本百科全書也無法匹敵的龐大知識。

我們因此相信現代人是人類史上最聰明的，然而這個想法大錯特錯。那個像鐵塊的東西為什麼會飛？為什麼用手機能和遠方的人通話？能確實說明箇中道理的，十個人中可能不到一個。就算能夠說明，又有幾個能把設計圖畫出來？

文明這種利器，對大多數人而言只是個魔法箱，一個無法理解的黑箱。其實我們的腦袋和幾千年前的古人沒什麼不同。讓人類文明發達起來的，只是極其少數的天才。

從大學數學系畢業的人，一百個裡也不是一百個都理解高斯定律吧。順帶一提，高斯是十八世紀的數學家。就如三百年前的人無法理解高斯定律，我們也同樣無法理解。

所以就算用著再厲害的機器，也別以為自己很聰明。據說若把北京猿人的小孩帶回來養，也能培養出和現代人同樣的智能。我希望大家銘記在心，我們的大腦和原始人時代相比幾乎毫無進步。

不，實際上說不定還退化了。就如前面所言，拜便利工具所賜，人的能力正在退化中。

別說電視了，我們連鐵或蔬菜，甚至一根火柴也做不出來。會鑽木取火的古代人反倒比較厲害。

志生大師在落語裡如此比喻大茄子：「就像在暗夜裝了蒂頭。」多麼驚人的想像力，居然用暗夜與蒂頭來比喻。現在的東京到處都是霓虹燈，就算裝上蒂頭也無法成為茄子。第一次聽到這句話時，我甚至覺得看到了江戶漆黑的夜晚。

還有這樣的比喻。

「像你這種傢伙，根本是襯衫的倒數第二顆釦子。」

「什麼意思？」

「可有可無。」

木匠的老婆去拜訪木匠師傅，說了一堆老公的壞話。

「這次我一定要跟他離婚！」

「從剛才聽到現在妳一直在說老公的壞話，為什麼會嫁給那種男人呢？」

被師傅這麼一問，那個老婆回答：

「因為那時候很冷嘛。」

真是難以言喻的況味。

瀟灑、機敏，還帶著些許猥褻。以前的語言會這樣玩。那時語言還活著，而現在已瀕臨死亡。

語言死了，代表思考也死了。

現在的流行歌曲，我聽著聽著都會莫名地害怕起來。

什麼「有我在，妳安心吧」或是「別再害怕了」、「我會保護妳」之類的。

受歡迎的淨是些無聊的歌詞。你們什麼時候變成民生委員[2]了？歌詞這麼寫，實際做的事卻無聊透頂。被女人甩了，為了洩憤一天打一百通無聲電話，或是持續讓父母吃毒藥，真是莫名其妙。還說什麼「我的世界只有妳」？

少在那邊說瞎話了。你去印度、中國看看，那裡可是有幾十億人口。若是在說漫才，我一定會吐槽：「你這個混蛋！」

或許有人會說這只是比喻，可是這種比喻太幼稚，也過於直接露骨。我很想問問作詞家：「你不覺得丟臉嗎？」

不過，我猜作詞家一定不覺得丟臉，反而還會如此譏笑我：「現在不寫這種歌詞不會紅，你不知道嗎？」

我的模仿秀有一句台詞「是怎樣啦，混蛋」。

不過這句「是怎樣啦，混蛋」，視當時的情況，我的語意可以是「你過得好嗎？」也可以是「有沒有認真在幹活啊？」或是「需要借錢給你嗎？」包含了各種意思。

而現在的流行歌曲不僅歌詞過於單純，連這種微妙的語意也消失了。

「這傢伙法文說得真好。」法國人會如此描述法國人，或是說：「那個人說的法文真漂亮。」眾所周知，法國人對法文有一種自豪。

反觀日本，若有人說：「那傢伙日文說得真好。」可能會被問：「那個人是哪一國人？」日本人對自己的母語不太自豪。

這讓我忽然想到，法國人也普遍使用簡訊，那法國小孩使用的語彙是否和日本一樣正在改變？

這只是直覺，我覺得法國的情況沒這麼嚴重。

2 地方的無薪榮譽職，專門照顧社區生活困難的居民。

畢竟法國的糧食自給率很高。

或許你會問，糧食自給率和語言有什麼關連？當然沒有直接關連，但肯定有間接關係。

日本最近真是怪事一籮筐。

不知道從什麼時候開始，日本逐漸變成放高利貸般的國家。仰賴中國和東南亞各國的勞力，日本人已不再勞動。以資本主義而言，就是大家逐漸成為特權階級。

其結果，日本必然捲入與世界的特權階級——歐美各國較量的漩渦中。我知道日本也拚命在做，可是糧食自供率卻低到令人難以置信，已然成為浮上檯面的問題。

大自然若稍有變異，國家就可能走向滅亡。而日本卻持續在走這種鋼索，利用政策將農業逼到社會邊緣，逐漸減少農地，使得糧食自給率陷入危機，而人們卻一副滿不在乎的模樣。日本人為什麼會變成這樣？

法國以各種政策保護本國農業，維持高度的糧食自給率。法國人熱愛自己的文化更是眾所周知。若對「糧食自給率」這個詞反應不過來，想想綠意盎然的美麗農場，和一望無際的豐饒鄉村就能明白。

反過來說，國家若不保護作為生存之本的農業，很難相信住在其中的人們會對自己國家的文化真正感到自豪與疼惜。

讓我害怕的是，一路寫下來的各種問題已互為因果，糾纏不清，猶如滾落坡道的雪球般越滾越大。

年輕人所處的環境日益簡便膚淺，思考能力也不斷走下坡。年輕人變得越蠢，社會上就越流行簡便膚淺的事物。超商是如此，手機也是，音樂等等都是。

這顆雪球擋不住。

因為這是現代資本主義的手法。

均質化的蠢蛋越多，賺錢的機會也越多。

就如第二章提過的，現代人變得像羊一樣。只要吹吹笛子，羊就會越聚越多，管理牧場真是輕鬆。

一聽到笛聲就聚集過來，然後吃飼料，被剃毛。能唯唯諾諾地遵從這種生活的就是好羊。

將大量的東西賣給大量的人。這是現今世上賺錢的基本之道。

無論食物、書籍或電影都是，只要簡便膚淺便能大賣。因為簡便膚淺比較好懂，降低水平才能賣得更多。既然是以大眾為銷售對象，大量賣出廉價品便能賺得更多。

說到薄利多銷，以前頂多是香蕉降價拍賣，現在則連知識和教養都能薄利多銷，大量販賣。

完全不去想做了這種事，只會讓世人變笨。只會迎合變笨的大眾，把水平拉得更低。大眾被這麼一拉，也變得更笨更低級了。

規矩這個詞，或許不久後也會消失。

第五章
電影的問題

說得好聽一點，我是修補綻線的天才。
要比把劇情兜起來的能力，一定沒有導演能贏過我。
拍出來的作品會跟當初設想的不同，但是我的電影這樣就好。

最真實的一面

北野武成為本店常客後不久，帶了兩位法國人來。

「他們是從法國來玩的。」北野武向我介紹這兩位法國青年。他們是為了看北野導演的故鄉，專程飛來日本的熱情粉絲。北野武當然沒有非請客不可的道理。但他卻說對方千里迢迢來訪，要請他們來店裡吃不同凡響的料理（雖然這麼說讓我有點不好意思），一起喝酒，接著去唱卡拉ＯＫ。

北野武也邀我和我太太去卡拉ＯＫ，我們歡天喜地地跟去了。

那真是個愉快的夜晚。有北野武、兩位法國人，佐馬洪[1]也來了，以及我和我太太。交談時混雜著日文、英文與法文，但溝通毫無障礙。大家又唱又鬧，玩得非常開心。

大約深夜兩點，北野武忽然說：「不唱了！」拿著麥克風站起來。

我以為他喝醉了，要說什麼有趣的事，但並非如此。

「呃，今天實在是……」北野武以嚴肅的口氣開始說。大夥兒瞬間鴉雀無聲。佐馬洪坐在一旁，努力把北野武說的話翻譯給兩位法國人聽。

「今天在常去的店吃了飯，一如往常地喝酒、玩樂。這些都沒有虛假，這是真正的北野武。你們可能對我有些遐想，看到今天的北野武說不定會失望。不過，今天能見到你們真的很開心。謝謝。我會再拍好電影。」

這樣的人物在自己的粉絲面前說話，通常會說得體面一點吧。

但北野武毫不裝模作樣，也沒有端出了不起的架子，就是平常的北野武。「和大家一起喝酒、說蠢話，笑笑鬧鬧，這才是真正的我。」他一定是想把兩位法國人最想看到的這一面展現給他們看吧。而且還爽快地說「我會再拍好電影」。這個人究竟是何方神聖？真是帥氣到令人不甘心。

離開西麻布的卡拉ＯＫ店後，我和我太太邊走邊聊北野武，經過六本木，就這樣走回赤坂的店。沒搭計程車。總覺得捨不得讓這個夜晚結束。

（阿熊）

---

1 Zomahoun Idossou Rufin，從非洲貝南來到日本，北野武旗下藝人，現任貝南駐日大使。

在挨餓的人旁邊拍電影，實在不合理

在威尼斯影展致詞時，我說了有些嘲諷的話。世界上有幾分之一的人口，光是為了今天要怎樣才有飯吃、如何存活下去便耗盡心力，而我居然能拍電影，還獲得這個獎。我真是太幸福了，由衷感謝。

或許有人覺得討厭，但這是我的真心話。畢竟沒有藝術，人也活得下去。

不禁出言嘲諷的起因是梅迪奇家族。梅迪奇家族曾是達文西的金主，也是從文藝復興時代到現代影展，不斷投入龐大資金贊助許多藝術家的名門望族。

影展的酒會上，聚集了很多這樣的義大利貴族。所謂貴族，就是不工作的人。工作的都是我們這種平民，貴族們甚至認為自己若工作便是一種罪。

古希臘時代的醫生只用嘴巴下達指令，實際動手術、包繃帶治療的是奴隸。勞動是奴隸做的事，這個想法普遍展現在歐洲歷史上。

聚集在這裡的都是從祖先世代以來幾百年不工作的人，這種酒會該怎麼說呢，真是令人歎為觀止。

吃飯時，我無意間看到旁邊掛著一幅畫，覺得好像在哪看過，結果竟是拉斐爾的畫。「這該不會是真品吧？」我如此一問，他們說當然是真跡。連拉斐爾的畫都是餐廳的裝飾品。

畢竟是祖先出錢讓畫家畫的畫，或許他們認為理所當然，不過我真的看傻了。歷史背景差距懸殊。這麼有錢當然不必工作。

這對有錢人來說是理所當然的事，他們是一群非比尋常的權力者。這群權力者的家世從中世以來幾乎不曾改變，他們的家譜和歐洲王室、貴族猶如藤蔓般纏繞在一起。前陣子匈牙利王族來到日本，一問之下竟是義大利某貴族的外甥。

他們雖然不工作，但做起事來倒是相當用心。像是從國外邀我這種電影導演來，或是出資贊助年輕的設計師。那時為了酒會的安排也煞費苦心，譬如要找誰來當主廚之類的。

那不是隨便矇混做做樣子。連我這個莫名其妙、遠在東方盡頭島國的電影導演，他們都對我表示敬意，想對電影文化做出貢獻。他們深知自己的角色，感謝之詞也沒有半點虛假。

只是對於我這種夢想是像郊區壽司店的老爹那樣，年紀大了還能在人前工作的人來說，那種貴族氛圍讓我渾身緊繃，因此不禁脫口嘲諷。地中海對面的非洲有幾萬人正在挨餓，而那種悲慘與歐洲人並非完全無關。

藝術家創作音樂或繪畫時，應該絲毫沒想過世上有人正在挨餓。創作者一心只想著自己的創作。或許會有人把世界的不幸當成創作主題，這又另當別論。

這該說創作是壓倒性的任性，或是徒勞無益呢？

然而這就是藝術的本質。正因如此，才能做荒唐的事。

據說達文西只留下十幾幅作品，他畫了很多作品，但幾乎沒有完成。我一聽就笑了，但仔細想想，這十幾幅畫養活了多少人？光是羅浮宮美術館就靠這個吃飯了吧。

佛羅倫斯也受到《達文西密碼》（*The Da Vinci Code*）的影響，吸引世界各地的人們前去朝聖。市街上到處可見觀光客跟在拿旗子的領隊後面，擠得水洩不通。

又譬如金字塔，幾千年前的鋪張浪費，到了二十一世紀的今天依然養著埃及人。若沒有金字塔，大概很少人會去埃及吧。以吉村作治[2]的話來說，這是史上最大的公共工程。然而埃及也流傳著一個故事：因為戰爭導致煤炭不足，為了發動蒸汽火車，英國人把木乃伊連同棺材一起拿去燒。

人類做的事真是不可思議，也不合理。像我也是。非洲有幾萬人餓死，而我卻在拍電影。

當然，我不認為我拍的電影能像蒙娜麗莎或金字塔，對幾百年後的人類有所幫助。雖然一定只是徒勞無益，但我還是喜歡拍電影。

「你看的第一部電影是什麼？」

有了電影導演這個頭銜後，記者常這麼問我。

我看的第一部電影是《鐵道員》[3]（*Il Ferroviere*），和大哥去上野的電影院看的。那是一部灰暗的電影，孩提時代的我一點都不覺得好看。而且回家的路上還碰到不良少年勒索，我和大哥哭哭啼啼地走回北千住。

所以我對自己看的第一部電影沒有好印象，《鐵道員》在我心裡至今仍留有陰影。

開始留意黑澤明，坦白說是我去了歐洲影展之後的事。

對歐美人而言，一說到日本電影就想到黑澤明，歐美記者於是把我和那位巨匠同等看待，紛紛問我：「你對黑澤明的電影有什麼看法？」所以回到日本後，我趕忙把黑澤明的電影找出來看。

只要看過黑澤明的電影，而自己也拍電影的話，就不可能不尊敬他。

電影膠卷一秒有二十四格，不停轉動以產生畫面。

2 日本考古學家，工程學博士，日本的埃及考古學權威。

3 一九五六年上映的義大利黑白片。

兩小時的電影以一百二十分鐘乘以六十秒再乘以二十四格來算，等於有十七萬兩千八百張畫，像快速翻閱漫畫那樣啪啦啪啦地動起來。

黑澤明電影的恐怖之處在於，從十七萬兩千八百張裡隨便抽出一張，放大沖洗到相紙上都是精彩動人的照片，沒有一張是多餘的。

厲害到令人無言以對。我最近也終於明白他的驚人之處。

他在正式拍攝前彩排了幾十次。聽說演員的位置只是差個十公分，他也會發飆罵人。我想這一定是真的。

黑澤明說我的電影「很乾脆」。

「一般導演會弄得更有氣勢，或把無所謂的地方拍得很冗長，可是你把不行的地方很乾脆地剪掉了。」

被世界級的巨匠這麼說，我也拚命地拍馬屁：

「《姿三四郎》剪得很好啊。」

黑澤明搖搖頭。

「那個部分是別的導演剪的。」[4]

「《天國與地獄》裡社長和傭人兒子對調的點子很棒。」

黑澤明大笑。

「那個啊，那是副導演的點子。」

我真是嚇出一身冷汗。

我和黑澤明在他御殿場的家見面，那時我就這樣冷汗直流地和他喝了很多酒。因為聊得很晚了，我想告辭時，黑澤明留我：「今晚住我家吧。」那似乎不是社交辭令。因為我走出大門後，黑澤明特地到陽台上對我

4《姿三四郎》是黑澤明執導的第一部電影，首映時全長九十七分鐘，但隔年因節約電力之故，限制一部電影的上映時間不可超過八十分鐘，因此被剪成七十九分鐘。

說：「真捨不得你走啊。你就留下來過夜嘛。」

有時我會想，要是當時多聊一會兒就好了。

因為那是我和黑澤明的最後一次談話。

媒體總說我是受黑澤明寵愛的。雖然黑澤明也寫過長信給我，但我不知道那是不是寵愛。只是我不會忘記信裡的這句話：「日本電影的將來就拜託你了。」

所以我在佛壇上香時，不只對父母親說話，也會對黑澤明說話。

「如果你在這世上還有想拍的電影，請用我的身體。你可以附身在我身上拍電影。」

我想黑澤明一定會在天堂苦笑：「又在講這種賣乖的話。」

我認為天才也是時代的產物。黑澤明的才華豐沛，若生在別的時代一定也會成就了不起的事業。

儘管如此，若非遇上那個時代，他也不會成為黑澤明。力道山和長嶋茂雄也是如此。所以尊敬歸尊敬，我從沒想過要以黑澤明為目標。

更何況，我本來就不是那一型的。

以剛才的十七萬兩千八百格膠卷來說，我的畫面總是稀稀鬆鬆。他的電影沒有一格可以剪掉，我的電影則是剪掉一堆也無所謂。

就拿彩排來說，我也總是一次ＯＫ。背景若有礙事的電線桿，黑澤明會把它砍掉，天氣惡劣的話，不管別人怎麼說，就算要耗上一個月他也等。我則是不管怎樣都拍。

原本打算在晴天取景，到了現場就算是陰天也照拍不誤。雖然心裡嘀咕著不該是這種天氣啊，但還是拍了。

說得好聽一點，我是修補綻線的天才。

要比把劇情兜起來的能力，一定沒有導演能贏過我。但拍出來的作品也會因此跟當初設想的迥然不同，連自己看了都覺得：「咦，這是什麼？」但是我的電影這樣就好。

拍自己喜歡的電影，和喜歡自己拍的電影

我拍電影是為了自己而拍。

為自己拍電影，然後問別人：「你也想看嗎？」只是這樣而已。

當電影導演的人通常喜歡電影。然而就跟愛喝酒一樣，這種喜歡也分兩種。

一種是以當電影導演為目的，另一種是只把電影導演當成手段的人。

以當電影導演為目的的人只要能拍電影就覺得幸福，愛電影愛得不得了，所以無法客觀看待自己的電影。以喝酒來說，就是指「喝酒不要喝到被酒喝」這句話中被酒喝的那種類型。日本這一類電影導演滿多的，沒有察覺到自己過於死心眼而經常揮棒落空。

對於把導演當成是一種手段的人而言，電影也只是一種表現手段，所以能客觀看待自己的電影。

鈴木一朗擊出安打時，觀眾席歡聲雷動，但他本人有時會側首尋思：「這個安打不行吶。」與周遭的歡呼無關，他能冷靜客觀地看待自己的打擊。

鈴木一朗創下世界第一的記錄，成為人氣王，他的棒球人生看似幸福，但他本人一定不像旁人想像的那麼樂在其中。

棒球是這樣，電影也是如此。若以客觀的角度看電影，一定發現很多瑕疵。不可能有完美的電影。每次都抱著拍出最佳傑作的心情拍電影，但完成後看過試片，又開始思考下一部作品。

這次一定要拍出厲害的作品。

黑澤明也是。當被人問到：「你的最佳作品是哪一部？」他會回答：「下一部。」他可能也不是那麼樂在其中吧。

客觀地看待自己就是這麼回事。

為了自己而拍電影，和一廂情願地想拍電影不同。

不只是電影，繪畫和小說都是如此，只能做出自己覺得好的作品，無法知道別人的感受。

而客觀看待自己的作品，就是忘記拍攝的辛勞與成見，以一名觀眾的身分看自己的電影，和市場反應或社會風潮如何完全無關。

到頭來相信的終歸是自己的感覺，而非別人的感受。發表這種為自己而拍的電影，是因為我相信自己覺得有趣的事，一定也會有人覺得有趣。只要全球六十幾億人口的幾分之幾覺得我的電影很有趣，我就會繼續拍下去。

拍自己喜歡的電影，和喜歡自己拍的電影不同。

最大的問題在於，這個差異在一根毫髮般狹窄的地方背對背地緊貼著。面對的明明是相反方向，但因為人的自戀，很容易將兩者混為一談。

畫慣的畫，畫得再好也不會感動

若說我在拍電影時還會意識到自己以外的誰，那大概就是別的電影導演了。我的電影隱約帶著一種氛圍，像在反問：「怎麼樣？這樣懂嗎？」

這麼說或許有點跩，但叫我去用別的導演那種一眼就能看穿的技巧，我還真不好意思。這和漫才或短劇一樣，我不想以那種顯而易見的手法做結。雖然我也明白像水戶黃門的印盒出場戲，一百個觀眾裡有一百個都知道「接下來印盒要出來了喔」，這時如實掏出印盒也是一種技巧。但我拍電影不是為了做這種事。這是別人也能辦到的事。

我會想：「掏出陰囊來取代印盒如何？」這麼一來就成了冷笑話。

或是當水戶黃門說：

「阿助、阿格，差不多了吧。」

接著大家倒抽一口氣，紛紛向後轉逃之夭夭。這樣如何？

我總會立刻想到這些無聊的點子。不過這充其量只能當成短劇的結尾，電影若這麼用，懂的人自然會懂，不懂的人還是不懂。

譬如殺手持槍，從路的那頭走過來。在這條路上的垃圾堆和大樓的屋頂，躲著好幾個警察準備迎擊這個殺手。這時觀眾當然會期待發生激烈槍戰。但我不想這麼做。比方說，我會想：「這裡能不能用因數分解來解？」

就是數學學過的因數分解。

把殺手和槍設為X，把警察設為A、B、C、D、E。一般的槍戰若以算式呈現就是：

AX＋BX＋CX＋DX＋EX

這時我會想：若把X提出來會怎麼樣？答案如下：

X（A＋B＋C＋D＋E）

改以電影的形式呈現，大概是這種感覺：

第一幕，殺手持槍從路的那頭走來。警察躲在路上。第二幕是走過這條路的殺手背影。從A到E，路邊到處倒著警察的屍體。連擊出一發子彈的戲也沒有，卻能用這種手法呈現槍擊戰與殺手的厲害。

只要對警察的死狀下工夫即可。可以弄得滑稽有趣，也可以展現殺手的殘酷。若讓揚長離去的殺手稍微擺出拖著腳的姿勢，感覺會更真實吧。光是想這些就覺得有趣。

然而說是因數分解，這也只是初步中的初步。這種程度大多數人都能理解。如此一來，我又想做有點難度的因數分解了。

像水戶黃門那種起承轉合清楚易懂的電影，把它拆得七零八落，將時間序列弄得亂七八糟再拼接起來，也能成為值得鑑賞的電影吧。一般電影的劇情會隨著時序發展，若把它們弄得亂七八糟，鏡頭也切割得零零散散，人們看完後要是覺得有趣，這就像畢卡索的畫一樣了。只是畢卡索是以不會動的畫面處理這些事。換言之，這就是電影的立體主義。

雖然靈感不斷湧現，但若真的這麼做，就不是大多數人都能接受的了。

說到畢卡索，我閒來也會畫畫消遣。我從小就不討厭畫畫，變得經常畫畫是在車禍之後。那時工作也暫時停擺，無事可做，一回神常發現自己在畫畫。

發現想畫的東西，就想無止境地畫下去。有一次錄節目時，一位知名的糕點師傅來做草莓蛋糕。看到那一幕的瞬間，我的眼睛就離不開了，整個腦袋被草莓蛋糕佔領。真的想畫得要命，很想放下工作不管，立刻衝回家畫這個草莓蛋糕。

這種時候畫畫，我會流口水。說起來有點髒，但這樣畫出來的畫，確實會是好畫。不流口水時，不管畫得再好都不會成為好畫。

漫才說得精彩時，我經常不記得自己說了什麼。拍很棒的電影時，神經總是緊繃。而畫出一幅好畫時，我會流口水。

可能是集中精神所致吧。說到這個，我也不知道自己什麼時候會集中精神。這種事不是自己能控制的。

我只知道精神集中時，會覺得整個大腦都動了起來。就像引擎點了火，腦細胞以非比尋常的方式運作著。神經忙碌到無暇顧及唾腺，所以才會流口水吧。

能常常如此是最好不過，但奇妙的是，要達到這種境界很難。

我猜大腦可能內建了一種省電模式，只要稍微熟悉便想放鬆。以畫畫來說，也有畫慣了這回事。

譬如畫猩猩。剛開始會去動物園觀察猩猩，仔細翻閱圖鑑，拚命地畫。這種畫因為是第一次畫，所以畫得不太好，但以畫來說算是不錯的。又譬如剛開始畫圓，下筆和收尾處連不太起來，簡直像小孩的塗鴉，但有這份氣勢就會成為一幅好畫。

但若照這樣畫下去，同樣的猩猩畫了好幾張後會越來越熟練，三兩下就能畫出來。如此一來，畫就變得索然無趣。以腦細胞運作而言，只有最低限度的腦細胞還在運作，多餘的神經元沒有出動，於是口水也不流了，說不定還會想些完全不相干的事，卻依然能流暢地畫下去。說得極端一點，這與其說是在畫畫，倒更接近描繪漫畫角色或簽名。
畫慣的畫，看了也不太會感動。

拍電影也一樣。
以我的情況來說，託《四海兄弟》（*Brother*）這種黑道電影之福，我有了影迷。因為我也習慣了，所以拍這種電影很輕鬆，但若風格因此定型，就必須大膽捨棄。
到了這把歲數，有穩定的成功是必然的。即使被誇讚：「這次的電影也很有趣。」我也無法像以前那麼單純地感到開心。
我還是想拍沒人拍過的電影。
近來的兩部電影[5]就是帶著這種挑戰的意味拍的。
有人說《雙面北野武》是「最佳傑作」，也有人表示「完全看不懂」。

就我自己而言，該怎麼說呢？我覺得把沉積在內心的東西盡情地吐出來了。

拍完之後，我的身心都處於虛脫狀態，恍惚了好一陣子。發現《雙面北野武》若照羅馬字的字面唸，也可以解讀成「武死」時，我甚至還想過這會不會就是自己的遺作。

說起來，《雙面北野武》這部電影就像排泄物。雖然是排泄物，卻有難以言喻的氣味，感受因人而異，也有人愛得像松露。

《導演萬歲》（*Glory to the Filmmaker!*）是一部自我否定的電影。我把過去拍的電影拿來批評一番，主要在談我是個多麼沒用的電影導演。就如黑澤明拍批判黑澤明電影的作品，這種電影也只有我能拍吧。

《導演萬歲》不像《雙面北野武》那麼難懂，有人覺得有趣，但也有人覺得不怎麼樣。這樣就好。我並不是想拍人人都喜歡的電影。

這種電影連拍了兩部後，我就會想下一部來拍娛樂片吧。坦白說，拍具挑戰性的電影相當耗神，偶爾會想喘口氣快樂地拍電影。

譬如二〇〇三年的《座頭市》（*Zatoichi*）就是這種典型，我大量使用之前拍電影時避而不用的通俗技巧，放手拍出這部娛樂片。那就像解除平日累積的壓力，我玩得很開心。

更何況既然是拍電影，不展現一下我也是有能力拍票房片是不行的，另一方面也得給旗下的工作人員增添自信。

像這樣偶爾拍拍娛樂片，也持續拍全新類型的片子是最理想的。雖然有人跟我說這麼做很難，會造成嚴重的精神耗損，但我還是打算拍下去。

就像邊流口水邊畫畫，雖然自己也覺得很亂來，但我還是想忘我地投入電影中，不斷變化下去。

5 指二〇〇五年的《雙面北野武》與二〇〇七年的《導演萬歲》。

歐洲影迷曾相信我是黑手黨

我的電影被稱為黑道電影，在歐洲有比日本更狂熱的粉絲俱樂部或許就是這個緣故。畢竟歐洲是高達（Jean-Luc Godard）和費里尼（Federico Fellini）的故鄉，影迷跨越各個世代，心胸也很開闊吧。我曾在意想不到的國家裡，碰到有人跟我說：「我有你全部的作品。」嚇了我一跳。

與此同時，也可能因為我是日本人，或有拍黑道電影的形象，外國記者訪問我時總會提起東洋的奧祕。

所以我也會在訪談時先出招。

「採訪日本的藝術家或電影工作者，若對方談起『武士道』或『侘寂美學』，就把他當冒牌貨吧！」

很多日本人在日本時，明明一秒鐘也沒想過這種事，被外國人訪問時，不知為何就會搬出來，把武士道或侘寂美學當作遁辭。

法國有個「北野武粉絲俱樂部」，會長和副會長都是很有趣的人，他們飛來日本看我好幾次。會長出身於法國偏僻鄉村，聽說來日本看我是他第一次搭飛機，他的母親還向親戚炫耀：「我兒子搭飛機了。」他的父親每年一次去巴黎賣起司和培根，賺取一年的現金收入，會長就是這種質樸的農家之子。副會長的父親是阿爾及利亞戰爭時，移民法國的伊斯蘭教徒。

兩人都沒什麼錢，來東京時住在淺草的膠囊旅館。淺草有一位齋藤媽媽和我是舊識，雖是女性卻有俠義心腸，她說：「我們家小武的粉絲可不能放著不管。」便讓兩位法國人免費住進她經營的膠囊旅館。

他們一來日本就在這裡住了一星期，連早餐都是齋藤媽媽免費招待，簡直像學生的貧窮旅行。這麼克難也要大老遠從法國來看我，我真是無比高興。

不過，有一件事很妙。歐洲人似乎不太知道我是喜劇演員。最近有不少日本電視節目輸入歐洲，我也有好幾個節目正在播出，因此傳出北野武也是喜劇演員的流言，在西班牙和英國的粉絲俱樂部裡掀起爭論。

「北野武不可能是喜劇演員，電視裡的是別人。」

當時到處撲滅流言的就是法國粉絲俱樂部的會長和副會長。這也沒辦法，雖然我從日本寄了錄影帶去，告訴他們我也是喜劇演員，但他們還是半信半疑。

因此這次他們來到日本，我招待他們來看電視節目的錄影現場。他們親眼看到我頭戴奇怪的東西在錄節目，才終於明白。但還是抱著頭困擾地說：

「我不想相信這種事。」

會產生這種誤解也和我拍的電影有關。我的電影給人的印象太強烈，加上自己也有演出，就連電影相關人士也曾誤會我。

譬如應英國電影協會之邀去倫敦時，就曾發生過這樣的事。當時會長來迎接我，在希斯洛機場初次見面時，他一臉惶恐地說：

「原本準備的加長型禮車今天早上故障了，用這種車子來接您，真的很抱歉，請您原諒。」

說完後便請我坐進極為普通的廂型車。我當然毫無怨言，倒是搞不懂為什麼要那樣向我道歉。

過了幾年後我才明白原因。後來我和那位會長成為好朋友，持續交流了許多年，有一次在某個派對上一起喝酒時，他喝得很醉，以一副「現在我才敢說」的模樣向我坦白：

「那天加長型禮車故障，開廂型車去接你時，我嚇得魂都飛了，擔心你會殺了我。我以為你是日本的黑手黨。」

若看過我的經歷，就知道我還有一項率眾進出版社打人的前科，而且還拍了《四海兄弟》這種電影，會被誤認為是黑手黨也是無可奈何。

以前我老家那一帶治安很差，黑道幹架是家常便飯，也有男人肚子挨了一刀，縮起身子呻吟著「好痛」，就這樣死了。我是看著這種情景長大的，所以看電影裡的暴力場面都覺得很假。

真正的幹架和拳擊比賽截然不同。通常一拳下去就了結了。就算開槍，也沒有莫名的亮槍動作，只是從口袋掏槍、射擊，就結束了。我的電影就是這麼拍，才讓人覺得真實吧。

而且這麼拍，對導演和演員都是再好不過。

因此我的暴力場面通常拍得很淡，但瘋狂的是，我對音效很執著。我電影裡用的槍聲都是真槍的聲音。演員用托卡列夫手槍射擊時，發出的槍聲確實是托卡列夫手槍的聲音，連彈殼滾落在地的聲音也是真的。

我有個龐大的音效庫，幾乎網羅了世界各種手槍與機關槍的槍聲。這是音效師費盡千辛萬苦去美國錄回來的。不說沒有人知道，但不可思議的是觀眾似乎都能感受到其中的不同。

去年有人說《雙面北野武》太難懂了，因此我把高達和費里尼的電影都找來，從頭看到尾。和他們的電影相比，說我的電影難懂也太難為情了。

高達的電影到《斷了氣》（*A Bout De Soufflé*）和《狂人皮埃洛》（*Pierrot le Fou*）還能懂，再往下就令人費解了。

費里尼也是。他初期的電影還好，到了被稱傑作的後期作品，實在很難相信還有人看得懂。

內容幾乎是藝術理論或哲學爭論。一部作品同時有三個故事。比方說，在某個登場人物說話的戲中，另一個故事的對話竟插進來。這場戲裡明明沒有人說這句話，對話卻唐突地插進來，而這句話又和後面的另一場戲有關。

明明是一對男女的故事，男的卻拚命換人，由完全不相干的別人繼續把故事演下去。因為以詭異切入的方式同時進行，真的很難懂。加上台詞又很抽象，淨是一些把近代歐洲哲學和文學的問題像拼圖般嵌進去的對話，光聽一次根本搞不懂。即便知道是很厲害的電影，也會覺得為什麼看電影要看得這麼痛苦。

現在有了ＤＶＤ。就如難懂的書可以前後反覆閱讀，ＤＶＤ也可以不斷倒轉，仔細探究故事脈絡。譬如「這個人在這場戲會這麼說，是因為上一場戲的那個人進入了他身體裡」，像這樣一步一步慢慢理解。可是坐在電影院裡看電影，就只能照播放順序一路看下來。我若坐在電影院看，可能會完全看不懂吧。

說真的，我很想見見看得懂這種電影的人，和他一起看電影，請他一一說明給我聽。

不過我猜，日本大概沒幾個人看得懂吧。怎麼想都覺得，大部分的人應該完全看不懂。

我的電影和這種電影根本比不上……

我真想問問影評家：

「你說我的電影難懂，那高達和費里尼的電影究竟該怎麼說？」

我是「老人照護型」的電影導演

一部電影完成前有好幾道工程。

寫劇本、找外景、拍攝、剪接、音效，每道工程都有它的樂趣所在。我最感興趣的是剪接。

模型的零件都放在盒子裡。打開盒子，用鑷子取下零件，然後興奮地組裝起來，這就是組裝模型的樂趣。以電影來說，這個組裝作業就是剪接。

但電影是從製作零件開始的，所以得等全部拍完，才能享受剪接的樂趣。

剪接真是無比幸福的模型組裝工作。

但過程中，也常有零件不夠的時候。組裝模型要是發現零件不夠，還可以找賣模型的店家抱怨，但電影就得自己負全責了。就算該有的零件不夠，也要拿別的零件硬湊上去，完成這部作品。因此有時輪胎會成為方向盤，有時則拿車內的後視鏡取代車外側視鏡，硬裝上去。

所以我的電影和組裝模型不同，並非上下左右、三百六十度看起來都很精密，也有從某個角度看很糟糕的部分。總之有點呼嚨作假的感覺，但這種拼揍的組合意外地有趣。

電影可說是帶有動作和聲音的組裝模型。

模型沒有動作，也沒有聲音。因此孩子們玩模型會自己發出聲音，自己做動作。譬如將漫畫或點心盒當作敵營陣地或障礙物，一邊說著「轟隆」或

「叩叩叩」，一邊把戰車推過去。

電影則是自己製作零件，再將它組裝起來，還可以加上真實的聲音。做好戰車，若想讓它爆炸，也可以在現實中讓它炸掉。而且火藥專家會照我的意思炸掉它。這真是最棒、最好玩的遊戲。

著迷於模型的孩子和拍電影的我，從遊戲中得到的快感或許相去不遠。

搞笑藝人最重要的才能是拿捏「時機」。有些人很不會拿捏時機，總是搞不清楚狀況。這或許也跟天性有關。

要讓人笑或讓人哭，都取決於時機的拿捏。說得極端一點，錯過了幾分之一秒的時機，原本好笑的事也笑不出來了。

電影也是如此，無論畫面拍得再好，若時機抓得不準，也無法將觀眾拉進電影裡。而決定時機就是剪接工作。哪個鏡頭跟哪個鏡頭要怎麼接？切換畫面的時機點在哪裡？這種事情用理論講不清楚，只能憑自己的感覺做。這就是剪接的醍醐味。一部電影的好壞，最終取決於剪接。

電影這一行是師徒制的職人世界，因此搞笑藝人出身的我最初拍電影時，也有電影工作者說「北野武是外行人」這種背地中傷的話，我根本想不鳥他。

拍電影頂多用一、兩台攝影機拍攝，但電視節目可是要動用五、六台攝影機，若是現場直播，甚至得立即從這五、六台攝影機拍到的畫面中做出選擇，剪接播出。當然是我比較厲害。

睡前寫下劇本，上床閉上眼睛，「好，開拍！」接著轉動攝影機。若無法藉此想像畫面，不僅無法剪接，到了現場也無法拍攝。我沒做什麼特殊訓練，只是從拍第一部電影起就這麼做。

當然這也要看拍什麼電影，但假設一部電影有一千個鏡頭，這一千個鏡頭的順序都在我腦海裡。哪個鏡頭有幾秒，我大概都知道。

所以剪接時，我不用問場記就能憑空說：「把第四場第二個鏡頭調出來。」必須在腦袋裡轉動攝影機，否則無法當電影導演。

演員有沒有才能，也要演演看才知道。這和聰不聰明無關，也算是一種天性吧。不管演員說自己多會演戲，只要鏡頭一拍就知道了。

至於我當演員時又是如何呢？我倒是相當賴皮。

我第一次當演員是拍大島渚執導的《俘虜》（*Merry Christmas, Mr Lawrence*）。那時我和坂本龍一去找大島導演談判，卯足了勁要他做保證。

「我們其實不想演電影。我靠漫才、坂本靠音樂就很夠吃穿了。我們畢竟不是演員，如果你執意要用，請把我們當貓狗看吧。你要是生氣罵人，我們就轉頭走人。」

「我知道隔行如隔山，所以我絕對不會生氣。你們就幫幫忙吧。」

大島導演都這麼說了，於是我第一次站到攝影機前。

明明已經開拍了，我還若無其事地問：「我的台詞是什麼？」

「嗯……」大島導演臉一沉，低吟著。可是生氣就違反約定，所以他沒罵我們，把氣出在一旁的工作人員身上。

仔細想想，我還真是幹了壞事。

畫畫和寫小說一個人就能做，但拍電影必須團隊合作。即使電影內容都在導演的腦袋裡，把它變成實際影像和聲音的仍是工作人員。這很像棒球教練和選手間的關係。如何讓工作人員認真投入，也是導演展現本領之處。

這也和棒球一樣，每個導演有他激勵工作人員的方法。譬如有位當過深作欣二導演的第一副導演的人說，每次跟深作導演工作後就不想再當他的副導演，他拍戲時動不動就發飆罵人，喝了酒就對工作人員胡說八道，大家都在熬夜工作，他卻一副滿不在乎的樣子。但這位副導演也說：

「一部電影拍完後，我就下定主意打死也不再跟他工作，可是過了一陣子，當深作導演來跟我說『下一部也拜託囉』，不知為何我又跟上去了。」

我聽了笑說：「這不就像魔女嗎？」

若深作導演是魔女型，我就是老人照護型。我的工作人員不敢把我放著不管，因為要是放著不管，不曉得會幹出什麼事來。大家都很擔心我，勤快地工作著。

我就算知道，也會佯裝不懂地問他們：「這個要怎麼拍才好？」我的工作人員各個都是專家，他們不會說不知道，總是會提出點子：「那，這麼拍吧。」

「這種拍法辦得到嗎？」

「辦得到。」

其實就算辦不到，他們也會這麼說。不過既然說了，他們就會想盡辦法下工夫去完成。而這些工夫讓電影變得更加有趣。

所以我不發火，也不命令。有什麼事就先問工作人員。

「我想這樣拍，行得通嗎？」

「這場戲要怎麼拍才好？」

總之，我凡事都跟他們商量。

雖然最後還是會照自己的想法執行，但說不定他們會提出更好的意見，所以我凡事都先發問。

大家都因為喜歡電影才從事這一行，所以只要徵詢意見，他們就會拚命思考、拚命做，絕不偷工減料。

我一直認為，若想把工作人員的能力激發到最大極限，這是最好的方法。

這麼多事，神明為何要我獨自承擔？

我的電影當然不是好萊塢電影。

好萊塢電影就跟麥當勞的漢堡一樣，以全球大量銷售為前提製作。沒有高檔的電影。無論是斥資幾百億圓的大製作，或是預算只有幾千萬圓，門票都是一千八百圓。不會有因為製作費很高，所以門票要價三千圓的電影。為了讓票房能打平製作費，甚至提高獲利，就只能大量招攬觀眾。

所以為了配合觀眾喜好，也會隨著放映地區不同而改變電影結局。甚至有電影在美國、歐洲和亞洲的結局都不同。雖說泡麵也會針對不同地區調整口味，但如此一來，與其說是作品，不如說是商品。

當然，有各種類型的電影是好事，所以好萊塢就維持萊塢本色就好，但我並不想模仿。

我會想別的玩法。就像電玩遊樂場花費龐大經費開發的電腦遊戲，也不見得比象棋有趣。

我的電影非常「類比[6]」，卻企圖讓觀眾在精神上玩複雜的遊戲。

但話說回來，自從電影影像可以用ＣＧ後製後，想像力反倒萎縮了。比方說油罐車著火了，主角被捲進去，正要逃出來。在轟隆爆炸之際，他一定會飛奔而出。

通常是這個模式，沒有例外。水壩決堤或大樓被炸，大家一定轟隆一聲就飛奔而出。

這種戲要確實搭景拍攝，各種靈感才會湧現出來。而ＣＧ就是畫圖，不像搭景會受到物理上的制約，所以往往被認為能自由地表現一切，發想反而無法擴展開來。

有趣的是用ＣＧ做一、兩萬人的軍隊戰爭場面。不管士兵有幾萬人，ＣＧ設計師頂多就是五人或十人，於是這個場面頂多就只是十個人的畫作。若找來五千個臨時演員，就能拍出五千種動作。用ＣＧ的話，無論設計師的畫功再厲害，也僅止於一個人的發想，和五千個人隨意做出的動作不同。

十個人畫的ＣＧ，本質上就和十個士兵的隊伍一樣。

說雖如此，我最近也用ＣＧ。但用的時候，我會提醒自己留意這件事。

6 相對於數位。

話說回來——

仔細想想，為什麼我會拍電影呢？

大學中輟、混進淺草，當過電梯小弟。成為搞笑藝人的弟子後，也當上了漫才師，後來當了演員，最後還成了電影導演。

一路以來，我真的做過很多事情。

無論是明石家秋刀魚、塔摩利、島田紳助或志村健，他們都確實磨練自己的技藝，闖出一片天地。而我卻總是沒有定性，始終無法留在一個領域裡。

有時也會不禁懷疑，自己會不會其實沒什麼料。

即使開始拍電影，我也不斷改變方向，靠自己的意志褪去舊殼，挑戰新的事物。

但仔細想想，這靠得其實不是我的意志吧。

長期持續做一件事時，我確實會感到厭煩，也會覺得無聊。

可是當我感到無聊時，下一波便不知不覺地到來。

這真的很奇妙。

拿電影導演來說，我也是不知不覺就當上了電影導演。

我覺得有種奇妙的、不屬於這世間的力量在默默地運作著。

這麼說不表示我相信宗教，其實我還滿瞧不起宗教性的事物。

若天地間真有操縱人類一生的至高存在，那我的人生就是被操縱了。

我曾率眾衝進出版社，也曾發生嚴重車禍。這些事也確實成就我人生的一個段落，為之後的人生開拓了新的方向。

我常覺得神明真是太壞了，竟然讓我做這麼多事。我實在很想拜託祂，別再把我當玩具把玩了，放我一馬吧。

為什麼要把這麼多事加在我一個人身上？

我真的打從心底這麼想。

我在阿熊的店吃飯時，茫然地望著他做菜的情景，忽然想到一件事。

以電影的技巧來說，大火就是特寫鏡頭。

小火則是與之相反的遠景。

用特寫鏡頭拍電影，就像炒菜時用大火。大到足以席捲平底鍋的大火，就像只拍眼睛或嘴巴的特寫鏡頭，是能一口氣揪住觀眾情緒的技巧。但火開得大太容易焦掉，電影也一樣。

用小火慢慢煨煮，就像把鏡頭拉遠拍出的淡然畫面。雖然無法立即明白箇中涵意，但看著看著慢慢就會明白。

我不太用特寫鏡頭。最大的特寫也不過上半身的程度。

我偏好小火慢慢煨煮的方式。

拍電影時，我無論看到什麼都會立刻想到電影。

Essential YY0917

全思考

吧台旁說人生

作者
北野武
一九四七年生於東京都，以相聲搭檔「Two Beat」風靡一時，之後除了主持電視節目與廣播節目，更在電影與出版界擁有全國性知名度。其執導的電影《花火》榮獲一九九七年威尼斯國際影展金獅獎，獲得世界性的肯定。二〇一二年執導的《極惡非道2》更創下驚人票房記錄，引起社會廣泛討論。著有《超思考》、《愚蠢的架構》（暫譯）等書。

譯者
陳系美
文化大學中文系文藝創作組畢業，日本筑波大學地域研究所碩士，現為專職譯者。近期譯有三島由紀夫《鏡子之家》，佐野洋子《沒有神也沒有佛》、《我可不這麼想》、《靜子》，山田詠美《賢者之愛》等書。

封面設計　許晉維
責任編輯　王琦柔
行銷企劃　詹修蘋、巫芷紜
版權負責　陳柏昌
副總編輯　梁心愉

初版一刷　二〇一七年八月二十八日
定價　新台幣三二〇元

ThinKingDom 新經典文化
發行人　葉美瑤
出版　新經典圖文傳播有限公司
地址　臺北市中正區重慶南路一段五七號十一樓之四
電話　02-2331-1830　傳真　02-2331-1831
讀者服務信箱　thinkingdomtw@gmail.com
部落格　http://blog.roodo.com/thinkingdom

總經銷　高寶書版集團
地址　臺北市內湖區洲子街八八號三樓
電話　02-2799-2788　傳真　02-2799-0909
海外總經銷　時報文化出版企業股份有限公司
地址　桃園縣龜山鄉萬壽路二段三五一號
電話　02-2306-6842　傳真　02-2304-9301

全思考：吧台旁說人生 / 北野武著；陳系美譯. -- 初版. -- 臺北市：新經典圖文傳播, 2017.08
252面；14.8×21公分. --（Essential ; YY0917）
譯自：全思考
ISBN 978-986-5824-84-6（平裝）
1.言論集
079.31　106011617